LE CODE VERMEER

Pour Jessie, Althea et Dan,
mes trois questionneurs – B.B.

Pour ma mère, Colleen – B.H.

On ne peut pas apprendre beaucoup
et jouir du confort intellectuel.
On ne peut pas apprendre beaucoup
et laisser quiconque jouir du confort intellectuel.

CHARLES FORT, *WILD TALENTS*

Catalogage avant publication de Bibliothèque et Archives Canada
Balliett, Blue, 1955-
Le code Vermeer / Blue Balliett; illustrations de Brett Helquist;
texte français d'Éric Wessberge.
Traduction de : Chasing Vermeer.
Pour les jeunes de 10 ans et plus.
ISBN 0-439-95371-5
I. Helquist, Brett II. Wessberge, Éric III. Titre.

PZ23.B3455Co 2005   j813'.6   C2005-902866-1

LE CODE VERMEER

BLUE BALLIETT

ILLUSTRATIONS DE
BRETT HELQUIST

TEXTE FRANÇAIS ORIGINAL DE
ÉRIC WESSBERGE

Éditions **SCHOLASTIC**

OÙ SE DÉROULE NOTRE HISTOIRE...

1 FARGO HALL

2 DELIA DELL HALL

3 GRACIE HALL

4 KING HALL

5 ÉCOLE SECONDAIRE, DEUXIÈME CYCLE

6 ÉCOLE SECONDAIRE, PREMIER CYCLE

7 POPPYFIELD HALL

8 BUREAU DE POSTE

9 MAISON DE MME SHARPE

10 MAISON DE CALDER

11 MAISON DE PETRA

12 LIBRAIRIE POWELL

À PROPOS DES PENTOMINOS
ET DE CETTE HISTOIRE

XXX Un jeu de pentomino est un outil mathématique comprenant douze pièces, chacune constituée de cinq carrés ayant au moins un côté en commun. Les mathématiciens du monde entier se servent des pentominos pour explorer l'univers des nombres et de la géométrie. Le jeu ressemble à ceci :

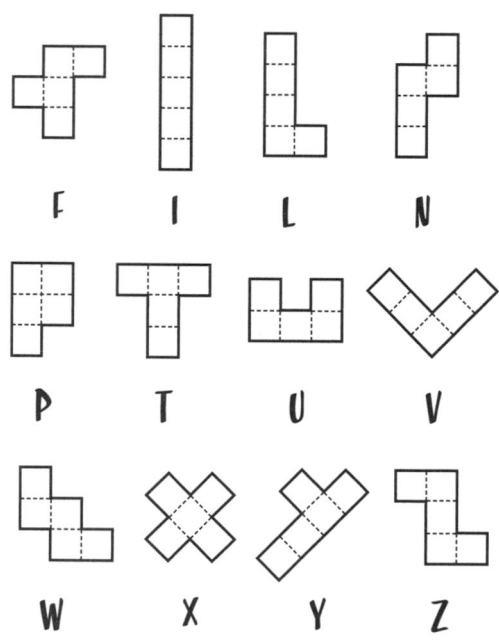

Les pièces du jeu portent des noms de lettres de l'alphabet, même si chacune ne ressemble pas exactement à la lettre qui lui correspond. Avec un peu de pratique, on peut les utiliser comme des pièces de casse-tête pour former différents quadrilatères ou polygones à angles droits. Il y a des milliers de possibilités.

Tel un jeu de pentomino, l'histoire de ce livre se présente sous forme de pièces séparées qui finiront par s'ajuster entre elles. Ne te laisse pas abuser par des idées qui, à première vue, semblent s'emboîter aisément ni par celles qui, au contraire, paraissent incompatibles. Les pentominos, comme les êtres humains, peuvent se révéler très surprenants.

À PROPOS DES ILLUSTRATIONS : UN MESSAGE À DÉCHIFFRER

XXX En examinant les illustrations des chapitres impairs, tu découvriras un message caché qui utilise le code pentomino du livre. Le nombre d'apparitions d'un certain être vivant et des pentominos dissimulés dans les images jouent un rôle dans le déchiffrage de ce message. À toi ensuite de mettre un peu d'ordre dans les lettres que tu auras trouvées, et tu résoudras peut-être l'énigme que te présente *Le code Vermeer*...

Pour connaître la solution, rends-toi sur le site : www.scholastic.ca/editions/lecodevermeer.

CHAPITRE UN
Trois lettres

XXX Nuit d'octobre à Chicago. Il fait chaud et la lune orange vient de se lever sur le lac Michigan. Quelqu'un sonne et dépose une enveloppe à la porte de trois maisons du même quartier. Lorsqu'ils ouvrent la porte, les destinataires ne trouvent personne. Seuls chez eux, ils mettront beaucoup de temps à s'endormir, ce soir-là.

Les trois lettres sont identiques.

Cher ami, Chère amie,
J'ai besoin de votre aide pour résoudre une affaire vieille de plusieurs siècles. Il s'agit d'un crime qui a porté préjudice à l'un des plus grands peintres au monde. Les autorités n'ayant pas le courage de rectifier cette erreur, j'ai pris sur moi de rétablir la vérité. Je vous ai choisi(e) pour votre lucidité, votre intelligence et votre indépendance d'esprit.

Si vous voulez m'aider, vous serez largement récompensé(e) pour tous les risques que vous prendrez.

Ne montrez cette lettre à personne. Seuls deux autres individus ont reçu, cette nuit, le même document. Vous ne vous rencontrerez peut-être jamais, mais vous agirez dans le même sens, personne ne sait encore comment.

Vous mettriez votre vie en danger en montrant cette lettre aux autorités.

Vous saurez comment réagir. Félicitations pour votre sens de la justice.

La lettre n'est pas signée et ne porte pas d'adresse de retour.

✖✖✖ L'homme aime lire en mangeant. Il va ouvrir la porte, son livre à la main, un doigt glissé entre les quatrième et cinquième pages. Une fois qu'il a pris connaissance de la lettre, il reste longuement absorbé, le regard tourné vers la lune.

Est-ce une plaisanterie? Qui s'est donné la peine d'écrire et de déposer ce courrier, imprimé sur du papier à lettres coûteux? Quelqu'un qui veut impressionner? Ou peut-être quelqu'un de prétentieux?

Doit-il se sentir flatté? Ou se méfier? Qu'est-ce qu'on attend de lui? Et de quelle récompense s'agit-il?

Il a oublié son roman, et ses spaghettis sont froids.

Qui peut le connaître assez pour savoir qu'il va accepter?

✖✖✖ Une femme se tourne et se retourne dans son lit, ses longs cheveux, répandus sur l'oreiller, scintillant dans la clarté lunaire. Des listes de noms défilent dans sa tête.

Plus elle y pense, plus elle est agitée. Pas drôle du tout, cette histoire. Une coïncidence? Un avertissement ciblé? Que sait-on exactement sur son passé?

Elle finit par se lever. Une tasse de lait chaud calmera ses nerfs. Elle s'avance lentement dans le noir, se fiant uniquement aux rectangles de lumière que jette la lune sur le plancher. Elle ne va certainement pas allumer la lumière de la cuisine.

Les noms s'ordonnent en colonnes dans sa tête, chaque groupe associé à un chapitre de sa vie. Milan, New York, Istanbul...

Mais ce n'est qu'une proposition, pas une menace. Elle

pourra toujours changer d'avis si les choses se gâtent.

Mais le pourra-t-elle vraiment?

XXX Une autre femme veille à la lueur de la lune, écoutant le mugissement du vent et la plainte des sirènes de police.

Cette coïncidence est d'une étrangeté incroyable.

Un fou? Quelqu'un qui la connaît réellement? Comment savoir si on s'adresse vraiment à elle? Des centaines de lettres comme celle-ci ont dû être distribuées, et son nom choisi au hasard dans l'annuaire...

Plaisanterie ou pas, cette lettre l'intrigue. Un délit vieux de plusieurs siècles? Que planifie donc cette personne?

Et des menaces, à peine voilées... « Vous mettriez votre vie en danger en montrant cette lettre aux autorités. »

Un maniaque, peut-être, un de ces tueurs en série. Des images de policiers penchés sur son cadavre et exhibant la lettre lui viennent à l'esprit : « Mais bon Dieu, elle aurait dû nous appeler tout de suite! Elle vivrait encore... »

Le miaulement d'un chat de gouttière la fait sursauter. Elle se dresse dans son lit, le cœur battant, et ferme la fenêtre.

Comment refuser? Une telle lettre pourrait changer le cours de l'histoire.

CHAPITRE DEUX
La lettre est morte

XXX *La lettre est morte.*

Bizarre pour une enseignante de sixième année.

Six semaines après la rentrée, les élèves n'ont toujours rien à reprocher à Mme Hussey. Le premier jour, elle leur a dit ne pas savoir sur quoi ils allaient travailler cette année, ni comment.

Calder Pillay était tout ouïe. Jamais il n'avait entendu un enseignant admettre qu'il ne savait pas ce qu'il faisait, qui semblait même excité par cette constatation.

— Tout va dépendre de ce qui nous intéresse. Ou de ce qui s'intéresse à nous, a-t-elle ajouté, comme si cela allait de soi.

Mme Hussey enseigne en premier cycle du secondaire, à l'École de l'université, dans un quartier qu'on appelle Hyde Park. Situé aux abords du campus de Chicago, cet établissement expérimental a été créé il y a une centaine d'années par un enseignant pas comme les autres : John Dewey, qui estimait qu'il fallait agir et travailler sur un projet bien défini pour apprendre à penser. Le nom de cet homme a toujours plu à Calder. À l'U., comme on appelle l'école, il y a des enseignants qui ne partagent pas les idées de Dewey, mais Mme Hussey n'est pas de ceux-là.

Ils ont commencé l'année par un débat sur l'écriture. Est-ce la meilleure façon de communiquer ? Petra Andalee, qui adore écrire, pense que oui. D'autres, comme Calder, qui déteste cela, ont exprimé leur désaccord. Pourquoi pas les nombres? Les images? Sans parler du bon vieux bavardage. Mme Hussey leur a demandé de faire une enquête sur le sujet. Ils ont emprunté des tas de livres à la bibliothèque et découvert l'art pariétal des grottes françaises, les rouleaux de papyrus égyptiens, les pétroglyphes des Mayas mexicains et les tablettes en pierre du Moyen-Orient. Ils ont même fabriqué des tampons de pomme de terre et couvert les murs de symboles. Ils ont inventé un langage de signes avec les pieds et les mains, et communiqué par dessins pendant toute une journée. On est maintenant à la mi-octobre. Vont-ils finir par étudier des sujets normaux, comme les autres classes? Calder n'a aucune inquiétude. Avec Mme Hussey, une simple enquête sur le passé vous oblige à réfléchir et devient une véritable exploration, pas une simple réflexion sur les opinions d'une bande de défuntes célébrités. Cool, la prof.

M-O-R-T-E. Elle vient d'écrire le mot au tableau.

Ce matin, ils se sont mis à discuter courrier. Le débat a commencé quand Calder s'est plaint parce qu'il avait une lettre de remerciement à écrire. Du temps perdu, selon lui. Tout le monde s'en fiche.

Mme Hussey en a profité pour demander si quelqu'un dans la classe avait déjà reçu une lettre vraiment extraordinaire. Personne n'a répondu, ce qui l'a beaucoup intéressée, semble-t-il. Finalement, elle leur a donné une drôle de consigne.

— Voyons, voyons... Vous allez trouver un adulte et lui

demander de vous raconter l'histoire d'une lettre inoubliable. Je parle d'un courrier qui a transformé sa vie. Vous lui demanderez quel âge il avait, où ça se passait et s'il a conservé le document.

Petra, comme Calder, est fascinée par leur nouvelle enseignante. Elle aime ses questions, sa longue queue de cheval et ses trois anneaux à chaque oreille. L'un porte une petite perle suspendue à la lune, l'autre un escarpin de la taille d'un grain de riz, le troisième une clé minuscule. Petra adore sa façon d'écouter attentivement les idées des élèves, qu'ils se trompent ou non. Mme Hussey est honnête et imprévisible. Elle frôle la perfection.

Soudain, l'enseignante tape des mains, ce qui fait sursauter Petra et envoie la petite perle en orbite.

— J'y suis! Une fois que vous aurez trouvé une lettre ayant changé la vie de quelqu'un, vous m'en écrirez une. Une lettre que moi, je ne pourrai jamais oublier.

Les idées de Petra se bousculent déjà.

Calder, lui, sort de sa poche un pentomino. C'est un L. Il esquisse un sourire. L comme Lettre. Pas une lettre morte, celle-ci. Le L est une des pièces les plus faciles à utiliser. À propos de lettres, justement, celles qu'on envoie sont presque toutes rectangulaires. Exactement comme les solutions du jeu de pentomino. Le L est aussi la douzième lettre de l'alphabet et l'une des douze pièces du jeu. En plus, c'est aujourd'hui le douzième jour du mois d'octobre... Calder se nourrit de modèles comme d'autres respirent l'air ambiant. Ce n'est pas lui qui le dit, c'est sa grand-mère.

Si seulement on n'était pas obligé de briser les pensées pour les mettre en mots, se dit-il en soupirant. Les grands discours sont ennuyeux et l'écriture est extrêmement difficile pour lui. Sa pensée n'est jamais complètement exprimée.

— Vous avez compris? conclut Mme Hussey, à la fin de la classe. D'abord vous trouvez, ensuite vous agissez. Qui sait où tout cela nous conduira?

XXX Calder et Petra habitent avenue Harper, une rue étroite qui longe la voie ferrée, non loin de l'U. Leurs maisons sont à trois numéros l'une de l'autre. Ils se croisent souvent sur le chemin de l'école, mais ne sont pas devenus amis pour autant.

On vient d'un peu partout pour étudier ou enseigner à l'université de Chicago et de nombreuses familles résident dans ce quartier. Comme beaucoup de parents travaillent, les enfants vont à l'école par leurs propres moyens.

L'après-midi du 12 octobre, Petra rentre de l'école derrière Calder, qui la précède d'une vingtaine de mètres. Elle le voit sortir une clé de sa poche pleine de pièces de casse-tête et ouvrir la porte de sa maison. Drôle de garçon, ce Calder! Il a tendance à marmonner tout seul, et on dirait toujours qu'il vient de se réveiller.

Traînant les pieds dans les premières feuilles d'automne, Petra se laisse emporter par son jeu favori : la question sans réponse. Pourquoi la couleur jaune est-elle si gaie, et pourquoi crée-t-elle toujours une sensation de surprise, même sous la forme banale d'un citron ou d'un jaune d'œuf? Elle ramasse une feuille jaune et la porte à hauteur de ses yeux.

Il faudrait peut-être qu'elle en parle à Mme Hussey dans cette lettre qu'elle leur a demandé d'écrire... Serait-elle d'accord pour dire que les êtres humains ont plus besoin de questions que de réponses?

Au même moment, Calder regarde par la fenêtre et voit Petra marcher sur le trottoir, une feuille morte sous le nez. On dit de lui qu'il est un peu bizarre, mais elle, elle est exceptionnellement bizarre... Toujours seule dans son coin, silencieuse quand tout le monde fait du bruit, et pas gênée pour autant. En plus, elle a des cheveux fous qui poussent en triangle et lui donnent l'air d'une reine égyptienne.

Calder se demande s'il n'est pas en train de devenir asocial. Personne ne lui a demandé ce qu'il faisait après l'école aujourd'hui. Personne ne lui a demandé de l'attendre. Il s'était fait à l'idée que son copain Tommy serait toujours présent. Plus maintenant.

Tommy Segovia a habité en face de chez Calder jusqu'au mois d'août dernier. Ils étaient très amis depuis ce jour, en deuxième année, où Tommy avait versé son chocolat au lait sur les jambes nues de Calder en lui demandant ce qu'il ressentait. Un enseignant s'était précipité vers eux, mais Calder avait expliqué qu'il s'agissait d'une expérience et que la sensation était très agréable. Cela avait été le début d'une longue collaboration.

En juillet, Tommy et lui avaient décidé qu'ils ne seraient pas des enfants médiocres. Ils s'étaient juré de faire quelque chose d'important dans la vie : résoudre un grand mystère, sauver la vie de quelqu'un ou être assez bons à l'école pour sauter une classe. Ce jour-là, Calder avait reçu son premier jeu de pentomino, cadeau d'un cousin de Londres pour son douzième anniversaire, avec quelques mois d'avance.

Les pentominos cliquettent agréablement sur la table de la cuisine où ils sont éparpillés. Déterminé, Calder les tourne et les retourne, formant des combinaisons les unes après les autres. Le plus grand rectangle qu'il ait pu assembler jusqu'à présent faisait six pièces. Un petit vent frais s'insinue par la porte de derrière et des tourterelles qui ont niché sous le porche roucoulent tristement. Pour Calder, leur chant monotone évoque irrésistiblement l'été dans le quartier. Tous les détails de cette fameuse matinée avec Tommy sont étrangement présents dans son souvenir.

Calder avait immédiatement su quoi faire avec ses nouveaux pentominos : le Y s'emboîtait dans le U, qui s'agençait à côté du P. Même l'association des lettres lui revient clairement : YUP. D'un seul coup, il venait d'obtenir sa première figure à douze carrés. En relevant les yeux, tout le mobilier de la cuisine lui était apparu comme des pièces de pentomino. Les charnières des placards étaient des L, les robinets des X, les brûleurs de la cuisinière dessinaient les jambages d'un N. Il était peut-être possible de décrire la totalité du monde avec une espèce de code pentomino, un peu comme avec l'alphabet morse. À cet instant, il avait compris quel était son destin : résoudre des problèmes. Il l'avait dit à Tommy, qui lui avait donné un coup de coude en le traitant de grosse tête. « Yup ! » avait répondu Calder en souriant.

Ces temps-ci, Calder se sent la tête beaucoup moins enflée. Il regarde l'horloge. Il est déjà en retard. Quand Tommy a déménagé, Calder l'a remplacé à la librairie de livres d'occasion Powell. Un après-midi par semaine, il donne un coup de main en livrant des ouvrages dans le quartier ou en déchargeant des boîtes. Maintenant que Tommy est parti, cela l'occupe.

Calder avale un verre de chocolat au lait, se glisse un biscuit dans chaque joue et file au triple galop.

XXX La mère de Petra l'a envoyée chercher du lait et du pain à l'épicerie du coin. La librairie Powell est sur le chemin. Petra aime beaucoup cet endroit. C'est calme et on ne sait jamais sur quoi on va tomber. La librairie ressemble plus à un entrepôt qu'à une boutique : des livres sont empilés partout, dans un labyrinthe de pièces toutes différentes. Elle s'y perd toujours, bien qu'elle soit déjà venue plusieurs fois. On passe d'un coin à l'autre dans la pénombre et l'on se retrouve à son point de départ sans savoir comment. Personne ne cherche à vous aider, personne ne vous dispute si vous lisez un livre sans l'acheter.

Petra vient de s'installer sur un tabouret avec *Enlevé !* de Stevenson sur les genoux quand elle remarque une queue de cheval qui s'agite en passant.

Mme Hussey?

Petra se redresse discrètement et jette un œil au coin des étagères, prête à jouer la surprise. Personne. Elle regarde à travers une rangée de livres de cuisine, puis traverse la pièce d'à côté sur la pointe des pieds et passe les rayons Anglais, Histoire, Psychologie, Animaux de compagnie, curieuse de savoir ce que lit l'enseignante.

Zut! voilà qu'elle tombe sur Calder, penché sur une boîte de livres, un bout de papier à la main. Pourvu, pourvu qu'il ne se retourne pas. Petra n'a aucune envie d'être vue par quelqu'un de sa classe.

S'approchant à petits pas, elle risque un œil au coin du mur suivant. Mme Hussey est accroupie devant les livres d'art. Impossible de voir ce qu'elle consulte, mais plusieurs livres de poche sont étalés par terre. Agatha Christie, Raymond Chandler... l'enseignante se relève brusquement. Petra bondit en arrière... et heurte Calder.

Il a tout vu, évidemment. Elle veut lui poser la main sur la bouche, mais son geste se fige. Ils ont l'air aussi estomaqués l'un que l'autre. Calder se ressaisit le premier, jette un coup d'œil derrière l'encoignure et recule aussitôt.

— Elle arrive!

Il ne leur reste plus qu'à se cacher. Ils quittent le rayon Histoire à toute vitesse et se rendent au rayon Fiction. Mme Hussey a rejoint le comptoir d'entrée. Elle y déverse ses livres et entame une conversation avec M. Watch, l'homme aux bretelles rouges qui tient la caisse. Les voilà qui rient tous les deux. Est-ce qu'ils se connaissent?

— Tu vois ce qu'elle a pris? souffle Petra.

Pas à pas, Calder s'approche de l'enseignante, dans son dos, les yeux fixés sur le comptoir. Mme Hussey ne tourne même pas la tête.

— Des polars et un gros livre d'art... quelque chose « en bas », chuchote-t-il en revenant.

Mme Hussey quitte la boutique avec ses achats. Un peu plus tard, c'est Petra qui sort, les mains vides, rouge comme une tomate et furieuse.

La librairie Powell, c'est son domaine, son refuge. Cette scène ridicule avec Calder a tout gâché. Elle l'a presque agressé et il l'a surprise en train d'espionner Mme Hussey.

Qu'est-ce qui va se passer maintenant?

CHAPITRE TROIS
Perdus dans l'art

XXX Vingt minutes plus tard, Petra est assise à son bureau dans sa chambre, son cahier ouvert devant elle. Des lettres, elle doit penser à des lettres.

Il est dix-sept heures trente-huit et le train du sud passe devant sa fenêtre, trois secondes pile avant de passer devant celle de Calder; entre eux deux, il y a les familles Castiglione et Bixby. Petra a calculé que le convoi dépasse une maison de l'avenue toutes les secondes. Elle aime les trains. La tête tournée vers les wagons qui défilent, elle distingue la tache rouge vif d'un chapeau, le blouson violet d'un enfant appuyé contre la vitre, l'arrondi d'une tête chauve penchée sur un journal rectangulaire. Elle a remarqué que les objets de couleur laissent une empreinte sur la rétine quand ils circulent vite.

Elle écrit :

Le 12 octobre

Feuille jaune : étonnement.

Chapeau tape-à-l'œil, tache de vêtement,

tête chauve comme la lune : rouge, lavande, saumon.

Question : Qu'est-ce que Mme Hussey

nous demande de voir, exactement?

— Petraaaa! Apporte-moi du papier de toilette!

— J'arrive, crie Petra, puis elle pousse un soupir en se levant pour aider sa petite sœur.

Le domicile de Petra est un cyclone perpétuel. Chaussures de course, livres et sacs à dos, mus par une force invisible, atterrissent n'importe où dans toutes les pièces. On marche sur des restes de nourriture et il y a toujours une ou deux poêles à frire graisseuses sur l'escalier de la cour. Les chats et le chien, désespérant de trouver leur bol plein chaque matin, lapent l'eau de la cuvette des toilettes, et toute la famille ne communique qu'à tue-tête.

Petra aimerait que ce soit différent. Elle voudrait que ses parents, paisiblement assis à la table du souper, lui demandent comment s'est passée sa journée d'école et que ses quatre jeunes frères et sœurs se servent d'un vrai mouchoir, au lieu de s'essuyer le nez sur leurs manches comme des morveux. Elle donnerait n'importe quoi pour ne plus être timide, pour ne pas avoir une silhouette de haricot et l'oreille gauche plus décollée que la droite. Elle voudrait être une femme de lettres célèbre sans avoir à commencer au bas de l'échelle. Elle aimerait que sa mère ne mette plus jamais de baba ghanoush dans son sac à lunch. Lorsque Denise Dodge, à la cafétéria, s'est dressée devant elle en s'exclamant « Beurk! C'est quoi, cette bouillie-là? », Petra l'aurait étranglée sur-le-champ. « Tu aimerais bien le savoir, hein? » avait répondu Petra, et l'autre s'était retournée vers sa copine en lui disant : « Quelle horreur! Est-ce que tu en voudrais, toi, de la compote de bébé pour dîner! »

Il y a autre chose que Petra déteste, c'est le panier des chaussettes familiales; à tous les coups, elle se retrouve avec une chaussette trop longue ou trop courte. Personne ne prend la peine de trier les paires propres nécessaires aux quatorze pieds de la maisonnée; en sortant du séchoir, toutes les chaussettes sont placées directement dans un immense panier, et c'est chacun pour soi. À chaque rentrée scolaire, la mère de Petra achète des chaussettes de la même couleur pour tout le monde et, théoriquement, ce devrait être facile de composer une paire. Sauf que rien n'est aussi simple chez les Andalee. Comme beaucoup d'enfants de Hyde Park, Petra est un mélange de cultures différentes. Son père, Frank, est moitié maghrébin, moitié européen du Nord; sa mère, Norma, est originaire du Moyen-Orient. Petra ne s'inquiète pas trop de savoir à quelle ethnie elle appartient. À la maison, on n'y pense plus depuis longtemps.

Ce qu'elle sait, c'est que du côté de sa mère, la première fille de chaque lignée a toujours été nommée Petra depuis des générations. Elle n'ignore pas non plus que Petra est le nom d'une élégante cité de Jordanie, surgie du désert il y a plus de deux mille ans. Les trois quarts de ses ruines sont encore enfouis sous le sable. Petra a toujours aimé le fait qu'elle porte le nom d'une ville antique aux secrets ensevelis depuis des siècles.

La dernière Petra avant elle n'est autre que sa grand-mère, qui vit aujourd'hui à Istanbul. Quand cette dernière est venue les voir à Chicago il y a quelques années, elle a dit à sa petite-fille que toutes ses homonymes étaient devenues des femmes très belles et favorisées par le destin. Petra a dévisagé sa grand-mère d'un air sceptique. La vieille femme, moustachue et toute menue, semblait passer ses journées à chercher ce qu'elle avait perdu ou oublié : ses pantoufles, son crayon noir pour les yeux ou l'emplacement de la salle de bain.

Comment être une beauté par les temps qui courent? Ses ancêtres n'ont pas eu à porter des lunettes aux verres épais et à monture pailletée bleu et mauve. En se levant le matin, elles n'ont pas eu à mettre les pieds dans du jus de canneberge séché, sur un dragon en plastique ou sur un truc mâchouillé par le chien.

En allant chercher le papier hygiénique, Petra se tord le pied sur un petit soldat décapité. Cela lui apprendra à mettre le nez dans les affaires de Mme Hussey!

Elle entend ses parents se disputer en bas.

— Mais tout le monde a quelque chose à cacher! proteste son père.

Il est physicien à l'université et Petra sait qu'il se fait du souci au sujet de son poste. Elle entend sa mère répliquer d'un ton impatient et surprend les mots « lettre » et « oublié », suivis du bruit d'un papier qu'on déchire. Qu'est-ce qui se passe? Il n'y a jamais l'ombre d'un désaccord entre ses parents.

Une lettre oubliée! Pas question de trahir un secret de famille à l'école, mais elle a quand même envie d'aller voir. Quand elle se glisse au rez-de-chaussée un peu plus tard, Petra trouve la poubelle vide.

XXX Calder est de mauvaise humeur. Le devoir qu'on lui a donné à faire est trop difficile. Comment pourrait-il écrire une lettre inoubliable à Mme Hussey ? Et où trouver une lettre sensationnelle maintenant que Grand-maman Ranjana n'est plus là ? On n'écrit plus de bonnes lettres aujourd'hui, c'est sûr.

Walter Pillay, le père de Calder, est en train de trancher des aubergines dans la cuisine. Tout en empilant les pâles rondelles à côté de la poêle, il observe son fils qui dessine une colonne de pentominos en carrés de cinq pièces dans la marge de son cahier.

— Quelque chose ne va pas ? demande-t-il.

Calder ouvre la bouche, juste au moment où passe le train de dix-sept heures trente-huit. Les fenêtres tremblent, le sol vibre, un fracas de métal hurlant emplit la cuisine.

— Non, articule-t-il tout bas.

— Bon, lui répond son père de la même façon, un sourire aux lèvres.

Calder, tout comme Petra, est un jeune métis. Son père, originaire de l'Inde, parle d'une façon calme, réfléchie, qui donne beaucoup de poids à tout ce qu'il dit. Son travail consiste à dessiner des jardins pour les municipalités. Tous les ans, il rapporte à la maison un tas de plantes qu'il essaie d'acclimater dans le jardin, si bien qu'en août, l'allée centrale disparaît sous un fouillis végétal. Cette année, un jasmin de Virginie penche amoureusement contre un lis imperturbable, une armée de feuilles pointues se disputent les marches du perron, tandis que les fleurs violettes et rouge sang rivalisent par leur éclat. C'est un excellent endroit où dissimuler des objets.

La mère de Calder, Yvette Pillay, a des cheveux couleur abricot coupés courts et un rire sonore, en cascade, qui provoque celui des autres malgré eux. Elle est canadienne et enseigne les mathématiques à l'université.

De toute sa vie, Calder n'a jamais vu ses parents manifester de la stupeur en ouvrant leur courrier. Il commence à en avoir plus qu'assez de toute cette histoire. S'il en parle à ses parents, cela va sûrement déclencher un torrent de commentaires. Voilà le problème quand on est fils unique : les parents sont toujours disponibles pour vous écouter. Il aimerait parfois qu'on l'oublie un peu

XXX Le matin suivant, Calder descend la rue en tripotant ses pentominos dans sa poche. Il sort le P.

Tiens! voilà Petra qui marche quelques mètres devant lui. Cela lui fait penser qu'il a été drôlement sot, hier, de lui gâcher son plan.

Il s'esquive par une entrée de jardin, se faufile dans plusieurs cours, passe sous un lilas, contourne une vieille barque, franchit deux clôtures et finit par émerger, couvert d'égratignures, d'un buisson de framboisier. Il se retrouve sur le trottoir, juste devant Petra.

— Aaah! s'exclame-t-elle. Tu m'as fait peur.

— Désolé, dit-il, feignant la surprise. Toi aussi, tu m'as fait peur.

— Qu'est-ce que tu faisais là? demande Petra, qui n'est pas très contente.

— Euh... Tommy et moi, c'était toujours comme ça qu'on allait à l'école.

Quelque chose lui brûle la joue. Il passe la main dessus et découvre qu'il saigne. Bon, la discussion est mal engagée; ce n'est pas ce qu'il avait prévu.

Ils marchent en silence pendant quelques minutes.

— As-tu des nouvelles de Tommy? demande finalement Petra, bien qu'elle le connaisse à peine.

— Non, pratiquement aucune.

Calder cherche désespérément à ajouter quelque chose, mais toutes ses idées lui paraissent stupides. Il se retient de signaler que, dans le nouveau quartier de Tommy, tous les jeunes ont les cheveux coupés ras. Ce serait vraiment parler pour ne rien dire. On entend le bruit des pentominos qui s'entrechoquent dans sa poche.

— Dis donc, demande soudain Petra, qu'est-ce que tu penses de Mme Hussey? Jusqu'à présent, c'est plutôt cool ce qu'elle nous fait faire, non? Cool pour l'école, je veux dire, ajoute-t-elle en souriant.

Calder a une brindille de framboisier coincée derrière l'oreille et il ressemble à une abeille à laquelle manquerait une antenne. La question de Petra est archi-nulle, mais elle espère que le message est clair : elle ne veut pas parler de ce qui s'est passé hier chez Powell.

Calder se demande si elle s'intéresse aux casse-tête ou aux pentominos. Sait-elle seulement ce qu'il trimballe dans sa poche? Il ne va certainement pas lui poser la question.

Il voit deux Rice Krispies collés dans ses cheveux, mais décide de ne pas le lui faire remarquer.

En arrivant à l'école, ils sont épuisés d'avoir cherché des choses à se dire, mais surtout pas ce qu'ils pensaient vraiment. Les céréales et la brindille sont encore en place. Chacun se dirige vers son casier.

XXX Curieusement, Mme Hussey a l'air satisfaite de l'échec de sa mission.

Après deux jours de chasse, ils sont tous revenus bredouilles, ou presque : quelques faire-part de décès d'un parent éloigné, des réponses favorables à des candidatures, des invitations à un mariage.

Mme Hussey leur suggère de poursuivre leurs recherches dans les siècles passés.

— Il faut qu'on trouve des vieux recueils de lettres, des choses comme ça? demande Petra en pensant à la librairie Powell.

Un murmure de ronchonnements parcourt la classe.

— Pourquoi pas des peintures? Vous auriez juste à regarder.

Mme Hussey fait remarquer que les artistes sont en général les témoins de leur temps et qu'ils dévoilent le quotidien des gens d'autrefois. D'ailleurs, elle en a assez d'être coincée dans cette école toute la journée; il serait temps d'aller dehors sur le terrain.

Tout le monde se redresse sur sa chaise.

— Autre chose : trouver une lettre inoubliable n'arrive qu'une ou deux fois dans la vie. Quant à écrire une lettre inoubliable, c'est loin d'être évident, sauf si on a une révélation à faire. Il ne faut pas que ce soit artificiel. Il se peut que je me sois trompée.

Chaque fois qu'elle a une idée, elle dit la même chose en sous-entendant : « On va faire le coup ensemble et ça pourrait être dangereux. »

— Vous êtes d'accord? On laisse tomber le devoir pour le moment?

Des sifflements et des acclamations fusent de toutes parts. Le regard de Calder rencontre celui de Petra, qui hausse les épaules et esquisse un sourire. Tout le monde a l'air soulagé. Décidément, cette année commence bizarrement. Difficile de dire si cela se présente très bien ou très mal.

✗✗✗ Le lundi suivant, toute la classe prend le train, puis marche sous le soleil jusqu'à l'Art Institute, plusieurs rues plus loin. Les élèves ont de la difficulté à suivre Mme Hussey, qui fait de grandes enjambées. Calder remarque qu'elle ne se retourne jamais pour compter les élèves. Elle est confiante, approuve-t-il mentalement.

Ils mangent leur dîner au pied des lions en bronze qui encadrent l'escalier de l'entrée, puis se déploient dans l'aile européenne du musée.

Petra s'éloigne de ses camarades. Elle dépasse les danseuses de Degas, une toile entièrement peinte avec des

petits points, les meules de foin et les ponts de Claude Monet, et se dirige vers les œuvres plus anciennes.

Quand elle était en troisième année, elle avait une gardienne qui l'emmenait à ce musée une fois par mois. La gardienne s'assoyait devant un tableau, poussait de grands soupirs et, quelquefois, écrivait des choses. Elle disait à Petra de rester tout près, mais de ne pas la déranger.

Petra allait et venait en observant. Quels tableaux choisirait-elle si elle devait entrer dedans ou les emporter pour décorer sa chambre? Elle s'imaginait en train de jouer avec certains des enfants qu'on voyait sur les toiles. La gardienne lui avait donné un carnet et un crayon pour qu'elle prenne des notes. Un jour, Petra avait compté tous les tableaux où l'on voyait des habits rouges et une autre fois, en secret, les personnages qui avaient les fesses à l'air. Elle avait aussi dénombré un total de 123 chapeaux.

Aujourd'hui, cahier en main, elle passe de salle en salle, à la recherche d'une lettre. Elle se rappelle en avoir vu une près d'un ange ou roulée dans la main d'un personnage. Elle a une heure pour chercher. Elle sait qu'elle va trouver.

Calder a vu Petra s'éclipser et décide de la suivre.

Il garde ses distances. C'est à peine s'il remarque les œuvres accrochées aux murs. Soudain, Petra disparaît.

Calder traverse lentement les deux salles suivantes. Il se reproche de perdre son temps et de négliger la recherche qu'on lui a confiée.

Au détour d'un couloir, il repère un signe prometteur.

C'est une toile du Français Auguste Bernard, peinte vers 1780. Personne dans la salle. Calder s'appuie sur le mur en face du tableau et prend des notes, l'air affairé.

Il y a une lettre pliée sur une table, portant un cachet de cire rouge qu'on a rompu. À côté, une femme lève les yeux au ciel; le haut de sa robe est beaucoup trop étroit pour son buste. Calder concentre son regard sur la table et distingue un collier de perles et un livre au titre français : *L'Art d'aimer*. Calder est sur le point de le recopier dans son cahier quand il sent le mur bouger derrière lui. Déséquilibré, il trébuche dans l'embrasure d'une porte et sent qu'il écrase les pieds de quelqu'un.

Il est repoussé vigoureusement et, avec son assaillant, se retrouve dans la lumière vive de la galerie. Au même instant, un gardien se précipite et le saisit par le coude.

— « Privé », tu ne sais pas lire?

Trop éberlué pour répondre, Calder se retourne pour voir qui l'a poussé.

— Qu'est-ce que tu fabriques ici? glapit Petra.

— Et toi donc?

Le gardien, qui ressemble à une saucisse gris et rose, croise les bras.

— Local d'entreposage. Interdit au public. Où est votre classe?

Encadrant la saucisse, Calder et Petra rejoignent le groupe de Mme Hussey.

— C'est maintenant qu'elle va redevenir un prof comme les autres, soupire Calder derrière le dos du gardien.

Petra lui jette un œil malicieux qui semble dire : « On verra bien; qu'est-ce que tu en sais? »

— C'est à vous, ces élèves? Je les ai trouvés dans le local d'entreposage.

Mme Hussey semble surprise, mais pas fâchée. Les autres élèves gloussent autour de Petra et Calder, qui baissent la tête.

— Merci, monsieur, dit Mme Hussey, pressée d'en finir.

Une fois le gardien parti, elle adresse un sourire chaleureux aux deux enfants.

— Pas mauvaise, votre idée! Vous avez trouvé quelque chose?

XXX Dans le train du retour, Denise change de siège et laisse intentionnellement échapper un petit papier qui vient se poser sur les genoux de Petra.

PETRA ET CALDER PERDUS DANS l'ART
S'EMBRASSENT LE NEZ ET LANCENT DES PÉTARDS!

Petra balaie le papier d'un revers de main dans l'espoir que Calder ne voie rien. Pourquoi les enfants sont-ils aussi stupides, parfois?

Lorsqu'ils arrivent à la station de la 57ᵉ Rue, il est trop tard pour repasser par l'école. Mme Hussey salue les élèves de la main, puis Calder et Petra, l'air gêné, remontent l'avenue Harper.

Petra tourne à peine la tête pour dire au revoir et grimpe précipitamment l'escalier de sa maison.

— Petra?

— Qu'est-ce qu'il y a? demande-t-elle en se retournant.

— Tu faisais quoi au juste dans le local d'entreposage?

— Je regardais, c'est tout. Dans la plupart des musées, il y a trop de tableaux pour qu'on les expose tous. Alors, on les range dans des pièces comme celle-là.

— Ouais, j'imagine que Mme Hussey aurait été drôlement contente de trouver une lettre en dehors des sentiers battus.

— Pas très gentil, ce que tu dis là, réplique Petra. Tu ne l'aimes pas, hein?

Calder commence à tripoter les pentominos dans sa poche.

— Oui, je l'aime bien.

La jeune fille le regarde, curieuse.

— Tu es jaloux de moi, c'est ça?

— Sûrement pas.

— Admets-le, insiste Petra.

— Bon, disons que je suis jaloux que tu aies pensé au local d'entreposage.

— J'en étais sûre, dit Petra, la mine renfrognée, avant de s'éloigner.

Qu'est-ce qui vient de se passer? Calder sort un pentomino de sa poche et le lance en l'air.

— I comme Idée, dit-il bien fort.

Ou comme Idiot...

CHAPITRE QUATRE
Le mensonge de Picasso

XXX Le lendemain matin, une lueur malicieuse brille dans les yeux de Mme Hussey.

Elle reconnaît que la visite au musée n'a pas donné les résultats espérés. Ils n'ont repéré que trois parchemins religieux et la lettre au cachet de cire rouge. Elle n'a pas l'air contrarié et cette recherche lui a bien plu.

— Vous savez, un de mes peintres préférés s'intéressait beaucoup aux lettres et on en voit souvent dans ses œuvres. Je pensais que ce serait pareil chez les autres artistes. C'est fou ce qu'on peut imaginer... Bon, revenons à nos moutons, ajoute-t-elle, soudain très sérieuse. Quelles nouvelles conclusions à propos de la communication?

Petra lève la main.

— C'est difficile à étudier. On pourrait peut-être changer de sujet, tout en restant dans le domaine de l'art?

Elle aime bien explorer l'Art Institute, et il y a sûrement un autre thème qui mérite d'être étudié.

Denise prend la parole :

— Moi, j'ai trouvé que certaines des œuvres étaient plutôt dégoûtantes. Je veux dire du sang et de la violence, ou des gens tout nus et trop gros... Ou encore, c'était très ennuyeux. Juste un tas de personnages costumés. Moi, je ne pourrais jamais vivre avec ces tableaux-là!

Un murmure d'approbation se fait entendre dans la classe.

Denise renifle avec satisfaction.

— Ça m'étonnerait qu'on t'y oblige, répond calmement Mme Hussey en croisant les bras.

Elle reste immobile en regardant le plafond. Le silence s'installe.

— Écoutez, reprend l'enseignante en arpentant la salle, Picasso a dit que l'art est un mensonge, un mensonge qui dit la vérité. L'art et le mensonge... c'est un vieux problème. Alors, si nous avons l'intention de rester dans le domaine de l'art, il faudra commencer par répondre à la question : qu'est-ce qui fait de tel ou tel objet une œuvre d'art?

Denise lève les yeux au ciel mais reste muette.

— Voilà ce que j'attends de vous : commencez par choisir à la maison un objet que vous considérez comme une œuvre d'art... n'importe quoi. Ne demandez conseil à personne; c'est vous qui décidez. Ensuite, vous en ferez une description, mais sans dire ce que c'est. Et cette fois-ci, vous irez au bout de vos recherches! ajoute-t-elle en souriant. Nous lirons certaines de vos idées en classe.

Calder se demande ce que Picasso a voulu dire : que l'art n'est pas exactement le monde réel, mais qu'il traduit quelque chose de réel?

Il se met à réfléchir à d'autres combinaisons de l'art, de la vérité et du mensonge qui auraient du sens. C'est un peu comme l'agencement logique des cinq carrés qui forment chaque pièce de pentomino. Est-ce qu'on pourrait dire que l'art est une vérité qui raconte un mensonge? Peut-être que la

vie consiste à arranger quelques idées simples de différentes façons. Enthousiasmé par cette idée, il se tortille sur sa chaise en souriant. S'il arrivait à saisir ces idées toutes simples, il deviendrait, avec un peu de pratique, un croisement d'Einstein et du mathématicien Ramanujan — ou peut-être Benjamin Franklin.

— Calder?

Il est tordu sur sa chaise, à moité retourné, un bras sur la tête. Les pentominos ont atterri sur son bureau, Dieu sait comment. Il les remet précipitamment dans sa poche, mais en laisse échapper un par terre.

— Est-ce que tu as quelque chose à dire, Calder? demande Mme Hussey. Il m'a semblé que tu levais la main.

— J'étais juste en train de réfléchir à ce qu'a dit Picasso. Mais je réfléchis encore.

On entend des ricanements dans toute la classe et Calder se sent rougir. Si Tommy avait été là, il aurait donné un coup de coude à Calder pour lui faire reprendre ses esprits.

La sonnerie retentit. Denise pose un pied sur le pentomino, juste au moment où Calder va le saisir. Son genou heurte l'oreille du garçon.

— Oups! J'ai marché sur ton jouet. Désolée!

Sur quoi, elle éclate de rire et donne un coup de pied à la pièce, qui file sous le bureau de leur enseignante.

— Désolée que tu aies les pieds si grands! murmure Petra derrière Calder.

Il n'est pas très sûr d'avoir bien entendu et se retourne

pour voir. Elle est déjà partie.

Il cherche la pièce à tâtons sous le bureau de Mme Hussey, qui est en train d'effacer le tableau. Il a envie de lui raconter qu'il réfléchissait à des choses vraiment importantes, mais ne trouve pas ses mots.

Mme Hussey se tourne vers lui en souriant.

— Je te comprends, Calder. Moi aussi, je me perds dans mes pensées. Tu sais, un de ces jours, il faudra qu'on se mette tous à noter les rêveries qui nous passent par la tête pour voir ce qu'on peut en tirer. On finira peut-être par s'apercevoir qu'il y a des choses beaucoup plus importantes que celles que j'avais décidé de vous faire étudier.

Calder hoche la tête avec reconnaissance. Mme Hussey est super!

Au moment de remettre le pentomino dans sa poche, il s'aperçoit que c'est la lettre T. T comme... comme Troublé. Mais troublé pourquoi?

XXX Chez Petra, pas l'ombre d'une œuvre d'art.

La jeune fille s'arrête devant un coussin brodé : il est déchiré sur toute la largeur. Elle retrouve un cerf-volant de soie en forme de chenille : il lui manque un œil. Elle pense à l'épingle en ambre que sa mère piquait dans ses cheveux pour faire un chignon : elle a disparu depuis longtemps.

L'art, c'est quoi, au juste? Plus elle y pense, plus cela lui paraît étrange. Qu'est-ce qui rend un objet original? Une chose créée par l'homme plus agréable qu'une autre? Un saladier, une petite cuillère ou une ampoule électrique, est-ce que c'est de l'art? Pourquoi des objets finissent-ils au musée et d'autres, à la poubelle?

Elle se doute bien que la plupart des visiteurs de musée ne se posent même pas la question. Ils se disent juste qu'ils vont voir quelque chose de grande valeur, de beau et d'intéressant. Pas de quoi se casser la tête.

Jamais Petra ne ressemblera à ces gens-là. Jamais!

Quand elle regarde certains tableaux de l'Art Institute, elle a la sensation de s'évader loin de la vie de tous les jours. C'est ce qui arrive chaque fois qu'elle est devant *Rue de Paris, temps de pluie* de Caillebotte – les pavés ronds d'une chaussée mouillée, des personnages affairés en robe longue et gibus, un coin de rue qui invite le promeneur. Cet art-là est une aventure qui projette dans un univers où les choses les plus familières deviennent mystérieuses. Quand on revient à la réalité, il faut un certain temps pour se réhabituer.

En route pour l'épicerie, Petra pense toujours à Caillebotte et à cette rue de Paris. S'il avait peint l'avenue Harper, l'aurait-il rendue aussi extraordinaire? Soudain, elle remarque l'homme aux bretelles, celui qui parlait avec Mme Hussey. Il sort de la librairie Powell, lance un coup d'œil circulaire et jette un livre dans la boîte à aubaines. Petra accélère.

Le livre porte une couverture en toile maculée de taches sombres, et ses pages épaisses, de couleur crème, sont usées sur les bords. Le titre lui saute aux yeux : *Lo!*

Les illustrations en noir et blanc représentent des

silhouettes caoutchouteuses et déformées qui s'agrippent les unes aux autres ou qui hurlent.

Elle lit quelques paragraphes :

DES CHEVAUX TERRIFIÉS ET CABRÉS DONNENT DES COUPS DE SABOT DANS UN NUAGE DE GRENOUILLES.

DES ANTILOPES CHATOUILLÉES PAR DES GRENOUILLES DÉCOCHENT DE FURIEUSES RUADES.

DES COMMERÇANTS DE LONDRES CONTEMPLENT, BOUCHE BÉE, DES GRENOUILLES QUI SE COGNENT À LEURS VITRINES.

PARLEZ-MOI, GRENOUILLE, JE VOUS DIRAI QUI VOUS ÊTES.

DES SAVANTS ONT ESSAYÉ DE COMPRENDRE LA CONDITION HUMAINE PAR D'AUTRES MOYENS : ILS ONT ÉTUDIÉ LES ÉTOILES, LES ARTS OU LES SYSTÈMES ÉCONOMIQUES. MAIS SI UNE UNITÉ FONDAMENTALE TRANSPARAÎT EN TOUTE CHOSE, ON PEUT AUSSI BIEN COMMENCER LA RECHERCHE PAR LES ÉTOILES, LES LOIS DU MARCHÉ, LES GRENOUILLES OU NAPOLÉON BONAPARTE. ON MESURE UN CERCLE, EN COMMENÇANT N'IMPORTE OÙ.

J'AI RECUEILLI 294 INCIDENCES D'AVERSES DE CHOSES VIVANTES.

Hein? Petra revient à la page de garde et constate que le livre a été écrit en 1931 par un nommé Charles Fort.

Elle glisse le livre sous son bras.

CHAPITRE CINQ
Vers de terre, serpents et bigorneaux

XXX En feuilletant *Lo!* cette nuit-là, Petra va de surprise en surprise. Elle n'a jamais lu un livre comme celui-là. D'abord, il est parsemé d'extraits de journaux du monde entier : *London Times*, *Quebec Daily Mercury*, *New Zealand Times*, *Woodbury Daily Times*, *New York American*, *Gentleman's Magazine*, *Ceylon Observer*... parmi bien d'autres.

Il y a des centaines d'histoires qui racontent des événements étranges, assez comparables : serpents venimeux tombés du ciel dans des cours de la région d'Oxford, en Angleterre; chute de neige et de vers de terre rouge et brun en Suède; pluie de bigorneaux sur Cromer Gardens Road dans la banlieue de Worcester, en Angleterre; lueurs flottantes et brillantes dans le ciel en Caroline du Nord et dans le Norfolk, en Angleterre. On retrouve des animaux sauvages dans des endroits insolites, et des personnes disparues réapparaissent loin de chez elles, désorientées et confuses. Des accidents et des explosions se produisent sans qu'on en connaisse la cause.

Apparemment, Charles Fort a passé 27 ans de sa vie à éplucher de vieux journaux en bibliothèque. Il a recopié des milliers d'articles relatant des faits inexpliqués.

LA PLUPART DES GENS SONT PROFONDÉMENT CONVAINCUS
QU'IL NE S'EST JAMAIS PRODUIT D'AVERSES DE CHOSES

VIVANTES. MAIS QUELQUEFOIS, LES PLUS GRANDES CERTITUDES PEUVENT ÊTRE ÉBRANLÉES SANS QU'ON S'Y ATTENDE.

Petra relit deux fois le passage et tourne quelques pages.

JE N'AI JAMAIS ENTENDU PARLER DE QUELQUE LOI RELIGIEUSE, PHILOSOPHIQUE, SCIENTIFIQUE OU DE LA VIE COURANTE QUI NE SOIT ÉTABLIE À DES FINS INTÉRESSÉES. NOUS ADAPTONS LES LOIS À NOS JUGEMENTS OU VIOLONS DES LOIS QUAND CELA NOUS ARRANGE... NOS CONCLUSIONS RÉSULTENT DE LA SÉNILITÉ, DE L'INCOMPÉTENCE OU DE LA CRÉDULITÉ, MAIS NOUS FINISSONS PAR EN FAIRE DES PRÉMISSES, QUI, AVEC LE TEMPS, UNE FOIS LE PROCESSUS OUBLIÉ, DEVIENNENT LA BASE DE NOTRE ARGUMENTATION.

Petra se débat avec le vocabulaire et doit vérifier le sens des mots « crédulité » et « prémisse ».

En relisant les phrases une à une, elle commence à saisir ce que Fort a voulu dire : la perception du monde dépend de la façon dont on l'observe. Il pense que la plupart des gens font tout en leur pouvoir pour faire concorder tout ce qui leur arrive avec quelque chose qu'ils peuvent comprendre. En d'autres termes, sans s'en rendre compte, ils ont tendance à déformer la réalité pour qu'elle corresponde à ce qu'ils voudraient qu'elle soit. L'être humain aime voir ce qu'il est censé voir et trouver ce qu'il est censé trouver. Tout un concept.

Petra continue sa lecture :

VU DANS LA PRESSE LONDONIENNE DES 18 ET 19 AOÛT 1921 : *AU COURS D'UN ORAGE, D'INNOMBRABLES PETITES GRENOUILLES SONT APPARUES LE 17 AOÛT DANS LES RUES DU NORD DE LONDRES.*

Plus loin :

CES APPARITIONS SE SONT RENOUVELÉES... LE *DAILY NEWS* DU 5 SEPTEMBRE 1922 RELATE QUE DES PETITS CRAPAUDS SONT TOMBÉS DU CIEL PENDANT DEUX JOURS EN FRANCE, À CHALON-SUR-SAÔNE.

Est-ce possible?

Pourquoi le temps passé à l'école n'est-il pas consacré à étudier des choses inconnues ou incompréhensibles, plutôt qu'à explorer des sujets qui ont déjà été découverts et expliqués? Mme Hussey leur demande toujours d'avoir des idées. Ne serait-ce pas super de partir à la recherche de faits bizarres comme Charles Fort l'a fait? D'essayer de trouver une signification à des événements qui semblent indépendants les uns des autres?

Et ce livre, pourquoi ne serait-il pas une œuvre d'art? Petra prend son cahier et commence à écrire :

Cet objet est rigide à l'extérieur et flexible à l'intérieur. Sa couleur est celle d'une framboise pas vraiment mûre, et son poids, à peine celui d'un jean. Il a l'odeur d'un placard dans une vieille maison, et même sa forme est ancienne. Il contient des choses difficiles à croire : pluie de créatures vivantes, objets flottant dans l'air, gens qui se volatilisent et qui réapparaissent.

Il est fabriqué à partir de substances autrefois vivantes, que le vent a courbées et qui ont senti l'air de la nuit. Il est plus ancien que les voyages sur la Lune, les ordinateurs, les chaînes stéréo ou la télévision. Nos grands-parents l'ont peut-être vu tout neuf quand ils étaient petits.

Le nom d'une femme est écrit à l'encre brune décolorée sur la couverture intérieure. Petra se demande qui d'autre a aimé ce livre et pourquoi il a fini à l'extérieur de la librairie Powell. Oui, pourquoi?

Petra, elle, ne le perdra jamais. Jamais, au grand jamais!

Avant de refermer le livre, elle relit de nouveau la phrase incroyable : « Parlez-moi, grenouille, je vous dirai qui vous êtes. »

XXX Quelques heures plus tard, éclairée par un fin croissant de lune, Petra est sur le point de s'endormir. Se retournant dans son lit, elle écrase son oreiller sur son bras. Soudain, une chose étrange se produit : bien qu'elle ait les yeux fermés, elle a l'impression de voir une jeune femme.

C'est une personne d'autrefois, habillée d'une veste jaune dont les revers de manche et d'encolure sont ornés de fourrure blanche tachetée de noir. Ses cheveux, tirés en arrière, sont attachés avec des rubans moirés. Elle porte deux pendants d'oreilles, peut-être des perles, qui reflètent la lumière. Assise à une table pour écrire, elle s'est interrompue, plume à la main, et a levé les yeux.

Ceux-ci plongent directement dans ceux de Petra, et son expression avisée est empreinte de gentillesse et d'intérêt. Cette femme a l'air de quelqu'un qui comprend sans qu'aucune parole n'ait été prononcée.

Petra s'imprègne de chaque détail de l'image. La scène est plutôt obscure, mais des bribes de lumière effleurent les fermoirs d'un coffret en bois, le pli d'une étoffe bleue sur la table, le front bombé de la femme, le tissu jaune crémeux de sa veste. C'est un monde calme et serein, où les rêves deviennent réalité, où chaque mot prend l'éclat d'une perle captant la lumière. Petra vient de pénétrer dans un univers d'écrivain.

L'image commence à s'estomper, aussi soudainement qu'elle est apparue, mais, au même moment, l'adolescente se sent mise à nu, comme si cette personne savait exactement qui est Petra Andalee. C'est une sensation étonnante, réjouissante, émouvante, vraie. On pourrait même dire évidente, à la façon des choses qui ont toujours été.

Complètement réveillée à présent, Petra pense à Charles Fort. Serait-il à l'origine de la visite de cette femme? « Quelquefois, les plus grandes certitudes peuvent être

ébranlées... » Fort avait compris ce que Petra ressent souvent :
il reste bien plus de choses à découvrir dans le monde que ne
le pensent la plupart des gens.

Si elle avait eu la moindre idée de l'importance de ces
choses cachées, Petra n'aurait pas du tout dormi cette nuit-là.

CHAPITRE SIX
Le coffret du géographe

XXX Le jour où Mme Hussey leur donne le devoir sur l'art, Calder rentre chez lui et grimpe directement dans sa chambre.

Assis à son bureau, il sort les pentominos. Le W s'adapte au Y et au U, et le I se glisse facilement le long du L... Le X est difficile à placer dans le rectangle, mais il pourrait peut-être s'emboîter entre le P et le U... Les pentominos l'ont toujours aidé à réfléchir.

Il écrit le mot ART et enchaîne rapidement :

RTA

RAT

ATR

TRA

Ce n'est pas ce qu'il comptait mettre sur sa liste, mais, d'une certaine façon, son stylo travaille à sa place. Il lit à voix haute les quatre combinaisons des lettres A, R et T. C'est comme une phrase très difficile à prononcer, un vire-langue.

Il se concentre de nouveau sur le sujet du devoir. Sa liste étrange est-elle une œuvre d'art, l'art d'il y a très longtemps? Celui qui finit en cartes postales ou en affiches de cuisine, celui dont ils ont discuté en classe aujourd'hui? Mme Hussey n'arrête pas de leur dire : « Suivez vos propres idées. » Bon. Alors si c'était lui, et non tous ces gens des musées, qui décidait de ce qu'il fallait admirer? Choisirait-il les œuvres devenues célèbres avec le temps? En tous cas, pas la dame française à la robe trop étroite.

Pour Calder, l'art est un peu comme... une chose mystérieuse. Oui, c'est ça. Une source d'idées nouvelles, une chose qui lui donne un point de vue inattendu chaque fois qu'il la regarde. Mais à quoi pense-t-il au juste?

Il rampe sous son lit et tire une caisse poussiéreuse pleine de petits soldats kaki. Il fouille dedans et sort un coffret en bois noir qu'il prend à deux mains, avec précaution.

Les coins sont incrustés de feuilles de vigne en argent, et le couvercle est orné d'une peinture représentant un homme aux cheveux mi-longs, vêtu d'une superbe robe de chambre et penché sur une table, les yeux tournés vers la fenêtre. De la main droite, il tient avec légèreté une sorte de compas au-dessus d'un large parchemin à moitié déroulé. Sa main gauche est posée sur un livre à côté d'un grand tapis d'Orient ramassé en gros plis. Derrière lui, en haut d'une armoire, un globe terrestre. Le personnage donne l'impression d'avoir été interrompu dans ses réflexions ou quelque pensée qu'il médite, le regard lointain. Calder se sent proche de cet homme qu'il trouve sympathique. C'est ce qu'il ressent lui-même lorsqu'il est brusquement tiré de ses rêveries à l'école.

Calder a toujours adoré cette image. Avec une loupe, il réussit à distinguer le miroitement de la lumière qui traverse les vitres en verre ancien et la matière presque vivante du tapis jaune et bleu. Le mot « Meer » est inscrit sur le mur, près de la haute armoire. Meer, Meer... ce mot le turlupine. Si seulement Grand-maman Ranjana avait pu lui en dire plus...

Il essaie de se souvenir précisément du moment où sa grand-mère lui a offert ce coffret. Assis sur ses genoux, il jouait avec ses lunettes. Il avait quatre ou cinq ans peut-être. Il se souvient du fauteuil à bascule en velours bleu, du craquement des doigts de la vieille dame, de ses joues soyeuses couleur chocolat.

Grand-maman Ranjana aimait les casse-tête et les mystères. Elle aurait sans doute approuvé les méthodes de Mme Hussey. Son coffret à la main, Calder se précipite au rez-de-chaussée pour prendre un « bain d'arc-en-ciel », comme disait Grand-maman Ranjana.

En fin d'après-midi, à l'automne, le soleil traverse les vitraux du salon en projetant sur le sol et les murs des losanges et des polygones aux couleurs de l'arc-en-ciel. Ce spectre de couleurs délicates se déploie sur une partie de la pièce et s'évanouit dans un coin du plafond. Être assis au milieu de formes géométriques stimule l'activité cérébrale – c'est ce qu'affirmait sa grand-mère.

Calder se met à écrire :

L'homme que je tiens dans ma main regarde vers la fenêtre, et la lumière se pose sur sa joue, son bras et le papier sur une table. Vous avez tous déjà vu comment le papier peut devenir aveuglant dans une lumière forte? Eh bien, ce papier-là vous ferait presque loucher. Autour de lui, les couleurs sont bleu, rouge et marron clair. Sur le bord de la table, on voit un tapis qui semble avoir été jeté là et oublié par une femme de ménage.

Poids et mesures, maintenant. Cet objet a environ le poids d'un paquet de biscuits aux brisures de chocolat, ou peut-être d'un bocal de sauce tomate vide ou d'un t-shirt pour adulte. Il est épais comme un dictionnaire et long comme un tube de dentifrice moyen.

La boîte calée dans sa main droite, Calder marque un temps d'arrêt et regarde les arcs-en-ciel qui dansent sur le mur du fond. Avec un frisson de plaisir, il sent son corps baigné par une lumière d'après-midi qui rappelle celle de l'image. Est-ce qu'il donne l'impression, lui aussi, d'être en pleine méditation?

Il est ramené à la réalité par des éclats de voix qu'il entend devant la maison. En regardant par la fenêtre, il aperçoit Mme Hussey et M. Watch, son patron chez Powell. Qu'est-ce qu'ils peuvent bien faire là? Calder remarque ensuite une vieille femme assise par terre entre eux.

Il ouvre la porte d'entrée et se fait aussitôt apostropher par Mme Hussey :

— De l'eau! Va chercher de l'eau!

Le temps qu'il revienne avec un verre, la vieille femme s'est remise debout. Calder ne l'a jamais vue.

— Merci, Calder, dit Mme Hussey. Je ne savais pas que tu habitais ici.

L'enseignante explique ce que M. Watch vient de lui dire : il a l'habitude d'accompagner Mme Sharpe chez Powell une fois par semaine pour qu'elle choisisse des livres. L'enseignante était par hasard derrière eux quand elle a vu la vieille femme s'affaisser sur le trottoir.

M. Watch a l'air embarrassé, et Mme Sharpe semble être en colère.

— Pourquoi un verre d'eau? dit-elle sèchement. Stupide! Maudites chaussures neuves! Même une sauterelle ne rentrerait pas dedans!

Est-ce Mme Hussey qu'elle qualifie de stupide?

L'enseignante ne semble pas remarquer et offre son bras à Mme Sharpe.

Calder rentre chez lui et se plante derrière la fenêtre pour observer le trio qui s'en va.

XXX Ce soir-là, Calder reçoit une lettre.

Il déchire l'enveloppe en souriant. Qui d'autre que Tommy?

L:1 F:1 Z:1 N:1 P:1 T:2,
P:1 I:2 T:1 F:1 I:2 V:2 – X:2 L:2 W:1 U:2 W:1 I:2 –
N:1 W:1 U:2 N:2 F:1 T:2 W:2 – U:2 P:1 F:2 F:1 W:1
I:2 P:1–
N:1 P:1 T:2 I:2 W:1 P:1 T:2 P:1.
U:2'F:1 N:2 N:2 P:1 Z:1 Z:1 P:1 –
T:1 T:2 L:2 U:1.
Y:1 W:1 N:1 I:2 F:1 N:2 N:2 W:1 I:2 U:1?
N:2 P:1 W:2 Z:2 – N:2 F:1 U:2 – U:2 L:2 T:2 V:2
W:1 T:2.
F:2 F:1 F:2 F:1 I:2 – F:1 – N:2 P:1 W:2 T:2.

I:2 P:1 Y:2 F:3 L:2 T:2 Y:1 – N:2 W:2 P:1.

V:2 L:2 F:2 F:2 F:3

Il se précipite dans sa chambre pour retrouver le code pentomino qu'il a mis au point avant le départ de son ami.

	1	2	3
F	A	M	Y
I	B	N	Z
L	C	O	
N	D	P	
P	E	Q	
T	F	R	
U	G	S	
V	H	T	
W	I	U	
X	J	V	
Y	K	W	
Z	L	X	

Le message qu'il décode est inquiétant. Calder descend informer ses parents dans la cuisine. C'est la consternation générale chez les Pillay. Changer de quartier était déjà une rude épreuve pour Tommy, mais la disparition du petit voisin, c'est comme une mauvaise plaisanterie.

Tommy n'a jamais connu son vrai père. Sa maman, Zelda,

qui travaillait à la bibliothèque universitaire, est allée aux Bermudes, l'hiver dernier, avec deux amies. Elle en est revenue avec un nouveau mari.

Au début, Tommy ne disait rien et ne voulait pas parler du « Vieux Fred », comme il avait commencé à l'appeler. Mais Fred avait pris son nouveau rôle de père au sérieux. Il jouait au baseball dans le parc avec Tommy, venait rencontrer les enseignants à l'école, emmenait tout le temps Tommy et Calder dans la 53ᵉ rue pour leur payer des coupes glacées géantes. Au bout de quelque temps, on aurait pu croire que Tommy commençait à l'aimer.

Et soudain, le 4 juillet – Calder se rappelle cette date parce que la nouvelle avait été plus détonnante que les feux d'artifice de la fête de l'Indépendance –, le Vieux Fred avait annoncé que la famille devait déménager à New York. Il avait acheté une maison en banlieue sans même en parler à la mère de Tommy. « Et encore moins au fiston… », avait commenté Tommy.

Et maintenant, cette affaire « grenouille ». Frog est un drôle de nom de famille!

Calder répond aussitôt à Tommy :

V:2 L:2 F:2 F:2 F:3,
N:1 P:1 U:2 L:2 Z:1 P:1 – N:2 L:2 W:2 T:2 –
T:1 T:2 L:2 U:1.
V:2 W:2 – N:2 P:1 W:2 Z:2 –
U:2 F:1 I:2 U:2 –
N:1 L:2 W:2 V:2 P:1 –

T:2 P:1 U:2 L:2 W:2 N:1 T:2 P:1 –
F:2 F:3 U:2 V:2 P:1 T:2 P:1 – P:1 V:2 –
N:1 P:1 X:2 P:1 I:2 W:1 T:2 –
V:1 P:1 T:2 L:2 U:2.
U:2 L:2 W:1 U:2 –
N:2 T:2 W:2 N:1 P:1 I:2 V:2.
L:1 F:1 Z:1 N:1 P:1 T:2

Tommy a toujours adoré faire de l'espionnage, et c'est peut-être une bonne occasion pour lui de ne pas être un enfant médiocre. Calder sourit en se rappelant leur conversation dans la cuisine, le jour où il a reçu ses premiers pentominos. Pourvu que son message aide Tommy...

Après avoir scellé l'enveloppe, Calder est pris de remords. Et si c'était un mauvais conseil qu'il donnait à son copain? Et s'il était réellement arrivé quelque chose d'horrible au garçon d'à côté? Le coupable, quel qu'il soit, n'apprécierait sans doute pas qu'un autre enfant vienne mettre son nez là-dedans. Les parents de Calder estiment qu'il y a peu de chances que ce soit vraiment un enlèvement. Calder espère qu'ils ne se trompent pas.

CHAPITRE SEPT
L'homme sur le mur

XXX Vers la fin de la semaine, Mme Hussey lit à voix haute une des descriptions qui lui ont été remises. Dans la classe, on s'agite, on s'observe pour essayer de deviner qui l'a écrite.

— Un fauteuil bizarre?

— De l'art moderne avec des pendeloques?

— L'auteur préfère-t-il garder l'anonymat, ou nous en dire plus? demande enfin Mme Hussey pour couper court aux suppositions.

Silence.

Petra s'éclaircit la voix :

— Eh bien... c'est un livre spécial.

Elle pense soudain à la jeune femme calme au regard intelligent apparue dans son rêve, la femme à la veste jaune. Elle n'a probablement jamais dû expliquer ce qu'elle avait écrit, elle. Tout à coup, c'est comme si l'apparition lui murmurait : « Ne t'inquiète pas, moi, je te comprends. »

— Un livre? s'esclaffe Denise. *Petits fruits et pantalon qui pue*, peut-être?

Petra serre les dents.

Mme Hussey se tourne vers Denise.

— Bravo pour cette comparaison tout à fait inattendue. Rafraîchissante, n'est-ce pas?

Denise grimace, comme si elle avait senti une mauvaise odeur.

Calder est impressionné par le texte de Petra. Il aimerait bien écrire comme ça.

Une heure plus tard, à la cafétéria, il repère Petra assise toute seule et décide de la rejoindre. Il voudrait lui raconter l'histoire du trio rencontré hier et lui dire combien il aime sa description. Il imagine déjà sa surprise quand elle le verra à ses côtés.

À cet instant, la boîte-repas de Calder heurte le dossier d'une chaise et s'ouvre brusquement. Petra, qui a entendu le choc, voit un sandwich au saucisson de Bologne voler au-dessus de la table à une vitesse fulgurante. Elle éclate de rire.

— Oh, ça va, ça va... dit Calder, qui a récupéré son sandwich et s'assoit devant elle.

— Attends! Je ne me moque pas de toi, réplique Petra. J'étais en train de lire des histoires de bruits inexplicables et d'objets qui tombent du ciel quand j'ai vu un sandwich volant... Ce n'est pas toi! C'était trop drôle, conclut-elle en reprenant son souffle.

— Qu'est-ce que tu lis?

— Le livre que j'ai décrit. Je l'ai trouvé hier chez Powell.

Lo! lit Calder sur le dos du livre. Vraiment bizarre comme titre. Pas étonnant qu'elle essaie de le cacher.

— Charles Fort, le gars qui l'a écrit, a passé une bonne partie de sa vie à chercher des articles de journaux sur des trucs inexpliqués, commente Petra. Tu sais, des lueurs étranges dans le ciel, des objets qui traversent des salles sans raison apparente, des fantômes et d'autres trucs du même genre.

Il prétend aussi que nous recevons une éducation « aveugle » et même, complètement idiote. En plus, il est drôle : il ne prend aucune pensée vraiment au sérieux, même pas la sienne. Elle s'interrompt, surprise d'en avoir tant dit.

— J'aime entendre parler de gens qui arrivent à comprendre des choses par eux-mêmes, reprend-elle. Et surtout, j'aime bien réfléchir à des choses que personne ne comprend. Du moins, pas encore...

— Mmm... répond Calder, la bouche pleine.

— Il y a des choses hallucinantes pratiquement à chaque page, dit-elle en feuilletant le livre. Écoute ça :

ON A SIGNALÉ DE NOMBREUSES DISPARITIONS MYSTÉRIEUSES D'ÊTRES HUMAINS.

CHICAGO TRIBUNE, 5 JANVIER 1900 : SHERMAN CHURCH, JEUNE EMPLOYÉ DE LA MINOTERIE AUGUSTA (BATTLE CREEK, MICHIGAN), A DISPARU. IL ÉTAIT ASSIS DANS SON BUREAU QUAND IL S'EST LEVÉ BRUSQUEMENT ET A COURU EN DIRECTION DU MOULIN. ON NE L'A PAS REVU DEPUIS. LES ENQUÊTEURS ONT FOUILLÉ LE MOULIN DE FOND EN COMBLE ET PASSÉ AU CRIBLE RIVIÈRE, FORÊT ET CAMPAGNE ENVIRONNANTES...

Et ça :

TÉMOIGNAGES DE SIX PERSONNES RETROUVÉES ENTRE LE 14 JANVIER 1920 ET LE 9 DÉCEMBRE 1923, ERRANT DANS LA PETITE VILLE DE ROMFORD (ESSEX, ANGLETERRE) OU AUX

Calder a cessé de mastiquer et fixe Petra des yeux.

— Tommy connaît un certain Frog, un jeune New-Yorkais, qui vient de disparaître.

— Comme « grenouille »? dit Petra en riant. Une grenouille volante!

Calder rirait bien avec elle, mais la nouvelle n'est pas spécialement hilarante. Et d'ailleurs, de quoi parle-t-elle?

— Tu le crois, ce Charles Fort?

Calder regrette déjà d'avoir posé la question. Ce n'est pas ce qu'il voulait dire. Le visage de Petra se ferme; elle semble déçue.

— Ce qui est clair, en tout cas, c'est qu'il a travaillé à partir de journaux. Je sais que la plupart des gens trouveraient ça complètement stupide.

Subitement, elle commence à rassembler ses affaires et range *Lo!* dans son sac-repas.

Les choses se gâtent. Calder comprend très bien l'enthousiasme de Petra, mais ne veut pas passer pour un idiot une fois de plus. Et puis il y a cette coïncidence extraordinaire avec l'affaire « grenouille ».

— Ton texte est super! lance-t-il avant que Petra se lève. Dis donc, hier, devant chez moi, j'ai vu Mme Hussey avec une vieille femme, Mme Sharpe, et M. Watch, mon patron chez Powell. Tous ensemble.

Petra n'a plus l'air fâché du tout.

— Mme qui?

— Sharpe. Enfin, c'est ce que j'ai compris.

Petra ressort *Lo!*, l'ouvre à la première page et montre celle-ci à Calder.

— Étrange, hein?

— Louise Coffin Sharpe, lit Calder. Tu crois que c'est elle? Je peux me renseigner.

Il dit ça comme si c'était enfantin.

— D'accord, répond Petra avec des yeux radieux. Merci beaucoup. J'aimerais vraiment savoir. Je ne pensais pas que le premier propriétaire du livre était encore vivant.

XXX Le lendemain, un samedi, Calder arrive de bonne heure chez Powell. M. Watch est assis à la caisse, les sourcils froncés, en train de lire ce qui ressemble à une lettre.

— Ah, te voilà! J'aimerais que tu fasses une livraison, dit-il en repliant la lettre. C'est un peu plus loin dans la rue. Mme Sharpe.

Calder sourit. Les événements s'enchaînent avec la précision d'une partie de pentominos.

— Serait-ce Louise Sharpe? hasarde-t-il.

M. Watch le regarde sévèrement.

— Oui, mais toi, tu ne l'appelles pas comme ça.

Sur quoi, il tend à Calder un sac plein de livres.

Calder jette un coup d'œil dans le sac en marchant. Il y a quelques romans en français et un livre récent sur l'art par

David Hockney. Tout à fait le genre de livres que lirait Mme Hussey. Il y a aussi un petit volume abîmé, intitulé *Une expérience dans le temps*. Calder consulte la table des matières et s'aperçoit que le chapitre deux a pour titre « Le casse-tête ». Mme Sharpe ne doit pas être aussi méchante que ça, finalement.

Si elle a reconnu Calder, elle n'en laisse rien paraître. Il décide de ne pas lui rappeler l'incident du verre d'eau. La vieille femme a des pommettes osseuses, beaucoup de rides et des yeux d'un vert extraordinaire, comme l'eau de la mer. Elle lui demande d'attendre dans le salon, le temps qu'elle aille chercher un chèque.

Calder examine les lieux. Sur le sol, un immense tapis d'Orient. Partout, des coussins en velours, des sculptures de nus, des vitrines... un vrai musée! Et dans un coin, sur un bureau bien rangé, un gros ordinateur.

Et puis soudain, le choc. Calder n'en croit pas ses yeux. Accrochée au-dessus du canapé, une grande reproduction de l'image de son coffret.

— Tu sais ce que c'est?

La voix de la vieille femme le fait sursauter.

— J'allais vous le demander. Ma grand-mère m'a offert un coffret avec ce gars-là dessus... je veux dire, cette peinture sur le couvercle. J'avais l'intention d'essayer de découvrir qui en était l'auteur et je viens d'en rédiger une description pour l'école. C'est incroyable, non?

Mme Sharpe renifle et tend le chèque à Calder.

— Pas vraiment. C'est la reproduction d'une œuvre de Vermeer appelée *Le Géographe*. Il en existe des milliers comme celle-ci.

— Vermeer? Ah bon? Qui était-ce? J'ai déjà entendu son nom, mais à part ça...

Encore sous le coup de la surprise, Calder fait le point et ses pensées défilent à toute vitesse.

— C'est un peintre néerlandais du XVIIe siècle.

Elle s'interrompt et regarde pensivement le sourire enthousiaste de Calder.

— Tu devrais pouvoir trouver un livre sur lui dans la bibliothèque de ton école.

— Ça alors, je n'en reviens pas! s'exclame Calder en s'éloignant vers la porte d'entrée.

Brusquement, le livre de Petra lui revient en mémoire.

— Euh, madame Sharpe, est-ce que je peux vous poser une question? C'est au sujet d'un livre que ma copine Petra Andalee a trouvé devant la librairie Powell. Ça s'appelle *Lo!* et je crois que c'est peut-être votre nom qui est écrit dedans.

Mme Sharpe observe un silence de mort pendant quelques instants. À quoi pense-t-elle?

— Est-ce que tu comprends quelque chose à ce livre? demande-t-elle finalement d'une voix douce.

Calder lève les yeux vers le visage de la vieille femme. Impossible de savoir si c'est une question piège.

— Oui, en partie, ment-il. Je veux dire, Petra et moi, on aime bien les histoires de choses bizarres, les gens qui disparaissent, par exemple. Et c'est drôlement chouette que l'auteur ait trouvé tout ça dans les journaux.

— Je pensais que plus personne ne lisait ce genre d'ouvrages de nos jours.

Elle a l'air presque humaine, à présent.

— Oh, oui! Tout le temps.

Bon, maintenant, il en a trop dit.

— Viens prendre le thé un de ces jours après l'école, dit Mme Sharpe d'un ton de nouveau glacial. Amène ton amie. Nous parlerons de Charles Fort. Venez à seize heures.

Quand elle se retourne pour lui ouvrir la porte, Calder sait qu'il est congédié.

— D'accord, je viendrai. Merc...

Mais elle lui a déjà claqué la porte au nez. Calder retourne chez Powell, complètement hébété par ce qui vient de lui arriver. Petra, son amie? Il aimerait tant que ce soit vrai. Mais plus question de parler de *Lo!* en son absence. Pourquoi a-t-il fait ça?

XXX Le lundi matin, un grand vent s'est levé : cumulus, branches d'arbre, déchets de toutes sortes, tout vole sur fond de ciel d'azur.

Sur le pas de la porte, Calder aperçoit Petra en train de courir après un bout de papier, en direction de la maison des Castiglione. La feuille s'élève gracieusement au-dessus du toit de la cabane juchée dans un arbre de leur cour et file du côté de la voie ferrée.

Petra s'arrête.

— Zut! Cette lettre était à moitié enterrée dans ton jardin. J'ai juste eu le temps de lire le début. Il y est question d'art et d'un crime commis autrefois. Encore de la publicité probablement. Pas une vraie lettre, je veux dire.

— J'ai réfléchi au sujet de ce livre de Charles Maison, commence Calder.

— Fort, corrige Petra en réprimant un sourire.

— Et autre chose, enchaîne Calder en prenant sa respiration, Mme Sharpe : le livre est bien à elle et ce que nous en savons, ce que tu en sais, plutôt, l'intéresse. Elle voudrait te rencontrer.

Petra s'est figée.

— Tu es sérieux?

— Oui. Elle nous invite à prendre le thé chez elle. Elle me l'a annoncé... comme ça.

Ce disant, Calder regarde la cime des arbres comme s'ils faisaient partie des invités. Et si elle refusait de venir avec lui? Mme Sharpe se rendrait vite compte qu'il n'a pas lu le livre.

Petra reste silencieuse un moment.

— Attends un peu. Comment as-tu fait pour lui parler?

Calder lui raconte ce qui s'est passé.

Tout en marchant vers l'école, ils parlent de coïncidences. Ils s'accordent pour dire qu'elles ne semblent pas toujours accidentelles, et Petra partage l'opinion de Charles Fort selon laquelle il vaut mieux regarder les choses à deux fois avant de porter un jugement. Calder se retient de lui parler de son coffret et de cette image de géographe qu'il a revue, comme par hasard, sur le mur chez Mme Sharpe. Mme Hussey n'a pas encore lu à voix haute la description qu'il a faite. Pourvu que Petra l'apprécie!

D'un commun accord, ils concluent qu'il reste beaucoup de domaines à explorer dans le monde. Petra espère que leur enseignante voudra bien les laisser se documenter sur des faits inexpliqués, à la manière de Fort. À condition que Denise ne gâche pas tout...

— On pourrait chercher des données sur l'art, lâche tout à coup Petra. Les mystères de l'art et ce genre de choses.

— Petra, tu es géniale!

Et lui qui croyait que cette coiffure égyptienne ne pouvait vraiment pas cacher une grande intelligence!

La bouche de Petra se tord d'une drôle de manière.

— Tu ferais mieux de lire le livre avant de t'emballer. Tu n'es peut-être pas aussi fou que moi.

Calder se met à rire et tripote joyeusement les pentominos dans sa poche. Cette année scolaire se déroule de mieux en mieux!

XXX Dans l'après-midi, Calder emprunte à Petra son exemplaire de *Lo!*

Elle a raison : Charles Fort était un penseur exceptionnel. Il ne craignait pas de s'attaquer à des faits jugés totalement incompréhensibles. Et surtout de tenter d'établir des modèles. Calder comprend mieux sa fascination pour des événements totalement différents que Fort, défiant les experts, n'hésite pas à relier entre eux. Comment Mme Sharpe a-t-elle pu se lasser d'un livre aussi passionnant?

D'ailleurs, à ce propos, il faut qu'il se livre à une petite enquête.

Dans le livre qu'il a emprunté à la bibliothèque, la reproduction du *Géographe* est plus précise et plus lumineuse que la copie qui orne son coffret. Derrière l'homme, on distingue une carte géographique encadrée et, sur le mur au-dessus, la signature : *I Ver Meer*, soulignée par une date : *MDCLXVIII*. Calder fait le compte : mille, plus cinq cents, plus cent, plus cinquante, plus dix, plus cinq, plus trois. 1668. Le nom complet de l'artiste est Johannes Vermeer, connu aussi sous le prénom Jan. Il vivait aux Pays-Bas, dans le nord de l'Europe.

L'ouvrage explique que personne ne sait exactement qui était ce *Géographe*, mais que les cartographes néerlandais étaient à l'époque très réputés. On y apprend aussi que les gens riches de ce pays aimaient avoir des cartes accrochées aux murs de leur demeure; c'était une façon pour eux de montrer qu'ils étaient fortunés et qu'ils s'intéressaient aux échanges internationaux. La cartographie, à mi-chemin entre la science et l'art, était alors tenue en haute estime.

Calder feuillette frénétiquement le livre et s'arrête sur certains des autres tableaux du peintre. La plupart montrent des gens posant devant une fenêtre; le tapis du *Géographe* apparaît dans plusieurs des autres toiles, ainsi que la veste jaune. En regardant ces personnages, on a l'impression d'entrer dans leur vie privée.

La lumière du jour qui pénètre dans ces intérieurs donne une grande importance aux choses les plus ordinaires : plume d'oie, pichet de lait, boucle d'oreille, clous de tapissier en laiton sur un dossier de chaise. Y aurait-il une information cachée derrière ces objets? Tout code suppose la répétition, et Vermeer n'hésitait pas à peindre et repeindre les mêmes objets. Les motifs géométriques des vitraux et des carrelages l'inspirent visiblement beaucoup, ainsi que les cartes soigneusement encadrées. Le tout, construit avec une symétrie savamment destructurée.

Calder poursuit sa lecture. Il apprend que Vermeer est mort pauvre dans la quarantaine, et qu'on ne sait presque rien de sa vie. Personne ne comprend pourquoi un peintre aussi fabuleux n'a produit que trente-cinq tableaux. Personne ne sait qui étaient ses modèles ni pourquoi il les a peints. On ignore aussi comment il est devenu artiste.

L'œuvre de Vermeer soulève davantage de questions que de réponses.

CHAPITRE HUIT
Une surprise pour l'Halloween

XXX Le matin du dimanche 31 octobre, Petra surprend une discussion entre ses parents. Son père ne se sent pas d'attaque pour fêter l'Halloween.

— Frank, pense aux enfants, dit sa mère d'une voix crispée.

Puis elle entend son père ronchonner et saisit des bribes de ce qu'il dit : « Désolé, chérie... cette lettre au courrier... tu vas voir... ce sera bientôt fini... »

Finalement, ils s'embrassent.

Quelle lettre? Et l'autre lettre, celle qui a été déchirée, qu'est-ce qu'elle est devenue? Qu'est-ce qui sera bientôt fini? Y aurait-il des problèmes financiers? Devront-ils déménager? Petra a une soudaine envie de parler à Mme Hussey de ce qu'elle vient de découvrir : on ne peut pas parler des lettres importantes, car elles renferment toujours des secrets. Pour ignorer une chose pareille, leur enseignante n'a jamais dû en recevoir.

XXX Le jour de l'Halloween, l'avenue Harper est fin prête. Les gens viennent de loin pour se promener et admirer le quartier où habitent Petra et Calder. Toutes les familles rivalisent d'imagination afin d'avoir l'air le plus effrayant possible. On voit des sépultures apparaître dans les jardins, avec leur cortège d'ossements éparpillés, de pierres tombales et de pelles. Des tarentules pendent des gouttières, et des citrouilles s'illuminent et grognent. Des cadavres accrochés aux fenêtres se balancent doucement. Les promeneurs marchent sur des yeux globuleux en chocolat, et des toiles d'araignées enveloppent buissons et perrons. On entend des voix éraillées et des sons d'orgue s'élever des plates-bandes.

Pour tous les enfants du quartier, le choix du costume est primordial.

Il est seize heures. Petra s'évertue à nouer des rubans dans ses cheveux. Pas évident, avec sa tignasse rebelle. Finalement, elle laisse tomber et opte pour une queue de cheval et un chignon bien serré. Quant aux rubans, elle les noue d'abord, puis les fixe avec des pinces à cheveux.

Deuxième étape : les boucles d'oreilles. Elle les a fabriquées elle-même avec une perle enfilée sur un gros anneau. Elle est tout à fait méconnaissable. Le train passe en rugissant devant sa fenêtre, et Petra se fige pour regarder ses pendentifs qui tremblent avec les vibrations.

Elle enfile sa veste ornée d'un col et de poignets en fausse fourrure. En fait, il s'agit d'un chandail jaune sur lequel elle a patiemment cousu des morceaux d'un vieux costume de dalmatien. Elle est prête. Les yeux plissés, l'air entendu, elle se contemple de profil dans le miroir en affectant un sourire très intériorisé. C'est comme si la dame en satin jaune lui avait transmis un peu de son élégance.

XXX Petra sort de chez elle et se retrouve nez à nez avec Calder, qui est vêtu d'une grande lettre F rouge, faite de carrés

de carton collés les uns aux autres.

— Salut, Calder!

— Petra...

Elle regrette soudain d'avoir coiffé ses cheveux et recule sous son porche.

— Tu ressembles à quelque chose que j'ai déjà vu... heu... une peinture, je crois. Oui, c'est ça.

— Vraiment? murmure-t-elle.

— Qu'est-ce qui t'a fait penser à te costumer comme elle?

— Comme qui? demande Petra en fronçant légèrement les sourcils.

— Comme la femme à la plume d'oie, la femme à son bureau.

Calder essaie de protéger son costume de pentomino tandis que Petra le tire dans l'entrée.

— Dis-moi exactement de quoi tu parles.

— Fais attention! Tu as plié mon F, rouspète Calder. Qu'est-ce que tu as?

— Désolée. Comment as-tu reconnu mon costume? Imagine-toi qu'il m'est apparu en rêve.

— Qu'est-ce que tu racontes? Tu as rêvé ce tableau?

— Je n'ai pas dit que c'était un tableau. Je ne sais pas ce que c'était.

— Bizarre. J'ai ton image à la maison. Viens voir, je vais te montrer.

Quelques instants plus tard, ils se retrouvent chez Calder. Celui-ci se débarrasse de son costume, grimpe à l'étage et redescend chargé d'un gros livre de bibliothèque. Il l'ouvre par terre et le feuillette nerveusement jusqu'à la page recherchée. Petra s'est agenouillée à côté de lui.

— Ici, regarde.

Petra sent son estomac se nouer. Ce n'est pas seulement son costume qu'elle voit, mais la femme de son rêve tout entière. Elle effleure l'image de la main, comme pour s'assurer de la réalité. « Johannes Vermeer, *Jeune Femme écrivant une lettre*, 1665 », dit la légende.

CHAPITRE NEUF
Les p'tits bleus

XXX Calder et Petra ont trouvé trois autres peintures de la dame en veste jaune. Sur l'une d'elles, elle porte un collier de perles et se regarde dans un miroir. Sur une autre, elle joue du luth. Sur la troisième, elle est assise à une table et sa servante lui tend quelque chose qui ressemble à une lettre.

— Tu n'avais jamais vu ces images jusqu'à aujourd'hui? demande Calder, l'air préoccupé.

— Jamais.

Petra a ôté une de ses boucles d'oreilles et la fait rouler sur le plancher.

— Comment as-tu pu rêver de quelque chose dont tu ignorais l'existence? demande encore Calder.

— Je me demande si les images qui s'infiltrent toutes seules dans nos esprits ne sont pas un peu comme les grenouilles volantes ou les disparitions de personnes.

— Mmm... ton rêve ferait alors partie d'un tout.

Calder se relève d'un bond, va prendre une feuille de papier et un crayon, et les tend à Petra.

— Je crois qu'on devrait commencer à dresser une liste de toutes les choses étranges qui nous arrivent.

— Excellente idée, répond Petra en saisissant la feuille.

Elle écrit :

Charles Fort, questionneur en chef, philosophe, guide.

— Hé! voici quelque chose d'autre. Je me suis fabriqué un costume en F parce que je pensais à F comme Fort.

— On note ça aussi.

Calder raconte à Petra l'histoire de son coffret en expliquant ce qui l'a conduit à emprunter le livre.

— Je me demande bien ce qui m'a fait repenser à cette vieille boîte. Si je n'avais pas eu ça en tête, je n'aurais jamais identifié *Le Géographe* chez Mme Sharpe ni rien lu sur Vermeer. Et je n'aurais pas reconnu ton déguisement.

— Tout ça, c'est la faute de Mme Hussey, constate Petra, enchantée. Tout a commencé avec son devoir « trouvez-moi-de-l'art ». On en a trouvé, c'est certain!

Pendant dix minutes, ils essaient de récapituler les événements marquants. Petra écrit :

1. Calder décrit un coffret orné d'une image de géographe. Le même jour, Petra trouve _Lo!_ et le décrit, puis une femme lui apparaît en rêve.

2. Calder et Petra discutent de Charles Fort en dînant.

3. Calder se rend chez Mme Sharpe, voit _Le Géographe_ et entend parler de Vermeer.

4. Calder emprunte un livre sur Vermeer à la bibliothèque.

5. Petra et Calder fabriquent des costumes. Petra pense à Vermeer, Calder pense à Charles Fort.

6. Halloween : Calder reconnaît le costume de Petra.

Pendant que Petra écrit, Calder feuillette le livre en tous sens.

— Il n'y a pas grand-chose sur la vie de Vermeer. On devrait continuer la recherche, tu ne crois pas? Je me demande s'il n'y a pas, dans son œuvre, un genre de code secret que personne n'aurait compris jusqu'à maintenant. Comment se fait-il qu'il ait peint tant de perles, de plumes et de clous de tapissier?

— Bonne question, approuve Petra en souriant.

— En cherchant bien, on trouverait peut-être une connexion avec Charles Fort, poursuit Calder, des choses qui nous auraient échappé.

— On pourrait aller à la bibliothèque de l'école demain.

— Bonne idée!

Calder s'est levé et fouille dans sa poche. Il mélange ses pentominos et sort une pièce.

— V comme Vermeer.

Il sourit d'un air distrait à Petra, qui semble perplexe.

— Une chance sur douze. Coïncidence?

XXX Le lendemain, sur le chemin de l'école, Petra demande à Calder de lui parler de cette histoire de V pour Vermeer :

— Moi, je t'ai raconté l'histoire de cette femme. À toi de me parler des pentominos. Et ne me dis pas qu'ils servent juste à former des rectangles...

— Ils m'aident à comprendre plein de choses, dit Calder.

Il jette un regard oblique à la jeune fille.

— Promets que tu ne te moqueras pas de moi.

— Pourquoi je ferais ça? Qu'est-ce qui pourrait être plus étrange que mon rêve?

— Eh bien, j'ai l'impression que les pentominos me parlent. Quand j'en tire un de ma poche, un mot me vient tout de suite à l'esprit.

Petra le regarde avec intérêt.

— Ça ressemble à un jeu superstitieux, je sais. Mettons que ça le soit. N'empêche que tu avais raison à propos de Charles Fort : il t'oblige à examiner de près des choses auxquelles tu n'aurais pas fait attention en temps ordinaire.

— Oui, je trouve ça cool.

Calder sourit à Petra avec reconnaissance. Il aurait dû se douter qu'elle le comprendrait.

XXX À quinze heures trente, le même jour, ils sont à la bibliothèque, attablés derrière une pile de livres.

— Commençons par les dates, d'accord?

Petra entame une page blanche en écrivant très lisiblement à l'encre violette :

À propos de Vermeer.

Calder s'est plongé dans la lecture d'un gros livre ouvert devant lui.

— Écoute ça, Petra : Vermeer a été baptisé en 1632, le jour

de l'Halloween. C'est le premier fait concernant sa vie. Ça fait froid dans le dos, hein? Toi et moi, on a commencé à écrire sur lui le jour de son baptême, il y a plus de trois cent cinquante ans. Écoute la suite : Johannes, fils de Reynier Jansz et Digna Baltens...

— Attends! Épelle-moi les noms.

Calder s'exécute et lui laisse le temps de copier avant de poursuivre.

— Son père tenait une auberge à Delft, mais il était aussi tisserand et fabriquait une étoffe satinée appelée « caffa ». Quant à Vermeer, lui aussi a été aubergiste avant de devenir marchand de tableaux. Voyons... À vingt et un ans, il épouse Catharina Bolnes. La même année, il figure comme artiste peintre dans le registre de la guilde Saint-Luc... où il siégera comme doyen à plusieurs reprises. Il a eu onze enfants et il est mort en 1675, à l'âge de quarante-trois ans.

Petra note à toute vitesse.

Calder tourne la page.

— Il serait mort endetté et sa célébrité ne date que du siècle dernier. Mmm... Quel homme mystérieux! Toute sa vie est mystérieuse. Aucune information sur ses débuts ni sur les moyens de subsistance de sa famille. Les historiens ignorent où se trouvait son atelier, qui étaient ses modèles, hommes ou femmes, et quels étaient ses liens avec eux, familiaux, amicaux ou autres. J'avais déjà lu ça dans l'autre livre. En tant qu'individu, on ne sait pratiquement rien de lui, ajoute Calder en levant les yeux. C'est quand même étrange, tout ça... Je me demande si quelqu'un a détruit ses carnets ou sa correspondance.

Petra le regarde.

— Oui, c'est louche, effectivement. Et très triste aussi, non? Quand on pense à toutes ces scènes magiques qu'il a peintes et dont on ne saura jamais rien.

Calder reprend sa lecture.

— Autre détail : il n'a signé que certaines de ses toiles. Je me demande bien pourquoi. Moi, je ne ferais jamais ça, marmonne-t-il. Bon, tâchons d'en savoir plus sur la peinture de ton rêve. Ah, voilà! *Jeune Femme écrivant une lettre*, National Gallery of Art, Washington, D.C.. Le truc jaune qu'elle porte, c'est un vêtement d'intérieur, un saut-de-lit, avec de la fourrure blanche au col et aux poignets. Les grosses boucles d'oreilles sont des perles en verre, ou des perles de culture... Tu te rends compte? Si c'est une vraie perle, l'huître qui l'a produite devait être énorme... de la taille d'un ballon de football. Elle écrit avec une plume d'oie, bien sûr. Dans plusieurs œuvres, on retrouve la même chaise avec le haut du dossier orné de lions, les mêmes bijoux, les mêmes cartes géographiques et tableaux accrochés aux murs. Je me demande s'il a peint sa propre maison!

— Ça devait être difficile de travailler avec autant d'enfants, remarque Petra en pensant à sa propre famille.

— Tu vois une signification dans tout ça? demande Calder.

— Eh bien, il y a le coup de l'Halloween. Ça, c'est tout une coïncidence!

— Oui, mais je pensais à quelque chose qui nous aurait échappé. Un modèle? Des chiffres?

— On dirait qu'il y a soudain trop de connexions, dit lentement Petra. Mme Sharpe connaît à la fois Vermeer et Charles Fort; toi, tu as rencontré Mme Sharpe; moi, je suis en train de lire un livre lui ayant appartenu et je fais ce rêve au moment où tu lis un ouvrage sur Vermeer. Ensuite, il y a ces costumes que nous avons créés... Crois-tu que les idées se chevauchent toujours comme ça et que les gens ne s'en rendent pas compte?

— Peut-être.

Sortis de la bibliothèque, ils font quelques pas l'un à côté de l'autre sans dire un mot. Calder sort de sa poche deux paquets de M&M's et en tend un à Petra.

— Ah, merci, dit-elle, surprise.

— Lesquels préfères-tu?

— Les bleus.

— Tiens, si on disait que les p'tits bleus symbolisent le secret? On les met de côté et, chaque fois que c'est nécessaire, on en mange un pour montrer qu'on est vraiment décidés à comprendre ce qui nous arrive. Ce sera notre truc à nous.

Il s'arrête, un peu gêné par ce qu'il vient de dire.

Petra enchaîne :

— Oui, d'accord. Un truc qu'on partagera avec Charles Fort et Vermeer. Parfait.

Ils décident de conserver les M&M's bleus dans le coffret de Calder, toujours rangé sous son lit. Petra sera responsable du carnet de notes.

Arrivés au bout de l'avenue Harper, ils s'arrêtent et croquent un p'tit bleu, s'accordant pour dire qu'ils ont vraiment un goût rare et mystérieux.

CHAPITRE DIX
Au cœur du casse-tête

XXX Deux jours se sont écoulés depuis leur visite à la bibliothèque. Faute de pistes, les recherches se sont interrompues. Ce mercredi après-midi, il pleut à verse. Debout devant la fenêtre du salon, Calder se sent désœuvré et contemple, fasciné, le ruissellement incessant des gouttelettes sur la vitre, qui prennent les formes les plus diverses.

Soudain, une idée lui traverse l'esprit. Bien sûr! La prochaine étape est évidente!

Il bondit dans l'escalier pour s'éloigner de ses parents qui discutent dans la cuisine, et saisit le téléphone. C'est Petra qui décroche.

— Je pense qu'on devrait appeler la National Gallery et demander si *Jeune Femme écrivant une lettre* est toujours là. Juste pour vérifier que le tableau est sous bonne garde, en sécurité.

— Pourquoi voudrais-tu qu'il n'y soit plus?

— J'aimerais juste m'en assurer. C'est à cause de Charles Fort et de toutes ses histoires de mystères aériens et de disparitions de gens; je suis un peu obsédé... On devrait vérifier.

— J'arrive tout de suite.

XXX Ni Petra ni Calder n'ont jamais téléphoné à un musée. Ils décident de tirer à pile ou face pour savoir qui va le

faire. Ce sera Petra.

Elle entend d'abord un message enregistré avec les horaires, puis des informations sur les diverses expositions et animations. Il faut appuyer sur une touche pour parler à une téléphoniste. Petra approche l'écouteur de l'oreille de Calder afin qu'il suive la conversation.

— National Gallery of Art, dit une voix onctueuse, plutôt âgée et très professionnelle.

— Euh, nous appelons pour savoir si un certain tableau de Vermeer est toujours accroché chez vous.

— Quel tableau cherchez-vous?

Petra grimace en regardant Calder. La téléphoniste a pris ce ton faussement enjoué et protecteur qu'adoptent souvent les adultes pour parler aux enfants.

— *Jeune Femme écrivant une lettre*, répond Petra d'une voix aussi sérieuse que possible.

— Un instant, je regarde à l'écran. Je peux juste vous dire si le tableau est exposé ailleurs ou pas.

Ils attendent en silence.

— Bon, effectivement, ce tableau est en déplacement. Il a été prêté à l'Art Institute de Chicago pour une exposition intitulée « Les écrivains et l'art ».

Les deux enfants écarquillent les yeux. Calder s'empare du téléphone et tire involontairement les cheveux de Petra, qui proteste d'un cri étouffé. Il s'excuse d'une voix assourdie.

— Pardon? fait la téléphoniste.

— Savez-vous si le tableau est à Chicago en ce moment?

Il serre le combiné tellement fort que les jointures de ses doigts blanchissent.

Légère hésitation de la part de son interlocutrice.

— Eh bien, oui, je suppose. Du moins, c'est ce que me dit l'ordinateur. Le tableau a quitté Washington il y a quelques jours, et l'exposition de Chicago ouvre ses portes la semaine prochaine.

La sentant prête à demander qui ils sont et pourquoi ils posent toutes ces questions, Calder lance un rapide « Merci, au revoir » et raccroche.

— Bon Dieu, Petra, tu penses la même chose que moi?

Elle hoche la tête, silencieusement.

— J'appelle l'Art Institute, et, s'il te plaît, Calder Pillay, n'essaie plus de me piquer le téléphone.

Après un long moment d'attente et de transfert de lignes, ils finissent par entendre un message enregistré annonçant la nouvelle exposition.

— Peut-être qu'on pense à tout ça simplement parce que le tableau est exposé en ville, avance Petra d'une voix hésitante. Ça a fini par nous rester dans la tête, c'est tout.

— Ouais, mais ça me fait quand même drôle de penser que cette femme est en déplacement, pas toi?

— Les tableaux voyagent tout le temps. Et puis, maintenant, on va pouvoir la voir en vrai.

— C'est l'heure d'un p'tit bleu.

Assis sur le plancher de la chambre de Calder, *Le Géographe* posé entre eux, ils comparent la taille de leurs

M&M's respectifs et, sans conviction, entament une partie de Monopoly. Mme Pillay leur sert des biscuits sur des serviettes en papier bleu foncé, décorées de grenouilles vertes.

— Dis donc, maman, d'où sortent-elles, ces serviettes?

— Je ne sais plus. Elles sont rigolotes, hein?

Dès qu'elle est sortie de la pièce, les deux enfants échangent un regard.

— Peut-être que la pluie les a fait venir, ces grenouilles, ironise Calder.

— Ouais. À propos de grenouilles, as-tu des nouvelles de New York?

— J'ai parlé à Tommy au téléphone, hier soir. Il dit que l'hostilité de ses voisins à son égard cache certainement quelque chose. Il y aurait un important secret derrière tout ça, d'après lui. Le jeune Frog n'est plus là, c'est certain, et personne ne veut lui dire pourquoi. Il a reconnu qu'il avait peut-être exagéré avec son histoire d'enlèvement. N'empêche que les faits sont là : du jour au lendemain, Frog a disparu. Et tout le monde se tait. Je me sens nul de ne pas pouvoir l'aider, conclut Calder. Ça ne doit pas être drôle de penser qu'on est peut-être le prochain sur la liste.

— Tes pentominos vont peut-être te dire quelque chose.

Calder les mélange et tire une pièce. N.

— N comme quoi? cherche-t-il en plissant le front. New York? Non. National Gallery? Laisse tomber. Ça m'obsède complètement, cette histoire de Vermeer.

— Ouais. Pas évident de penser à autre chose, hein?

XXX Le lendemain, après l'école, Petra aide son père à ratisser les feuilles mortes. Ce dernier a l'air complètement perdu dans ses pensées, ces jours-ci. Il oublie de passer les plats pendant les repas. Il a laissé couler l'eau du bain, il y a deux jours. Il a essayé d'enfiler des chaussettes minuscules et s'est étonné qu'elles ne lui aillent pas.

Depuis cinq minutes, il ratisse obstinément le même carré de pelouse et commence même à arracher l'herbe.

— Papa?

— Oui.

— Ça va?

Le père de Petra dévisage sa fille comme si elle était de l'autre côté d'une fenêtre fermée.

— Ça va, fait-il en agitant rapidement la main.

Petra n'en croit rien. Qu'est-ce qui se passe? Il continue à se rendre à son travail, mais semble sur une autre planète. Elle regrette de n'avoir pas trouvé la lettre au sujet de laquelle ses parents se sont disputés. C'est cela qui a tout déclenché, et maintenant, il est peut-être trop tard.

Comme son père rentre dans la maison, elle l'entend murmurer :

— Un prêt. C'est insensé.

Petra écarquille les yeux. Un prêt... La première chose qui lui vient à l'esprit, c'est le tableau de Vermeer prêté à l'Art Institute. De quoi parle son père? D'un prêt d'argent? Aurait-elle mal entendu? C'est peut-être « Après », qu'il a dit. Quoi qu'il en soit, les choses semblent aller mal.

XXX De son côté, après avoir préparé deux tartes à la citrouille avec sa mère, Calder fait trois parties de Solitaire, puis il aide son père à plier le linge propre.

— J'ai encore besoin de toi, fiston, dit son père en enfilant sa veste. Viens avec moi.

Calder le suit jusqu'à l'allée du jardin devant la maison, remarquant au passage tous les papiers enfouis sous les plantes fanées. Il se remémore la lettre sur l'art et le crime trouvée par Petra au même endroit, et qui s'était envolée.

Son père lorgne vers la façade de la maison.

— Il est temps de repeindre tout ça. On garde la même couleur?

— Ouais, fait Calder. C'est celle qu'avait choisie grand-maman Ranjana, non? Dommage qu'elle ne soit plus là pour voir qu'on a respecté son choix. Au fait, pourquoi est-ce qu'elle aimait tant le rouge?

— C'est une longue histoire, répond son père en riant. En rapport avec le peintre Vermeer... Elle aurait aimé qu'il utilise plus de rouge dans son œuvre. Elle estimait que c'était un immense artiste, et qu'avec plus de rouge, il aurait atteint la perfection.

— Curieux, murmure Calder.

Il jette un coup d'œil alentour et aperçoit Petra dans son jardin. Elle porte un chapeau d'un rouge éclatant qui tranche avec la grisaille de novembre.

Par moments, il aimerait n'avoir jamais entendu parler de Charles Fort et de Vermeer. Des événements purement fortuits commencent à s'agencer entre eux, mais d'une manière confuse, inintelligible. Trouver des solutions en manipulant une poignée de pièces de plastique est une chose; se sentir soi-même propulsé au cœur d'un casse-tête géant en est une autre.

CHAPITRE ONZE
Cauchemar

XXX Le 5 novembre, à sept heures trente, Calder et Petra arrivent chacun dans leur cuisine au même moment, après avoir cherché désespérément l'un, ses souliers de course, et l'autre, sa brosse à cheveux.

Chez les Pillay, les parents de Calder discutent en versant du jus de fruits et en sortant des boîtes de céréales. Avant de faire son apparition, Calder a juste eu le temps de saisir les mots « tragique » et « choquant ».

— Qu'est-ce qui se passe? demande-t-il en s'assoyant.

Chez les Andalee, la mère de Petra est en train de préparer des sandwiches au fromage en discutant avec son mari.

— Comment une chose pareille a-t-elle pu arriver? l'entend dire Petra. Je veux dire : à qui la faute?

Petra entrevoit les titres du *Chicago Tribune*. À la une s'étale une manchette en lettres gigantesques :

VOL D'UN VERMEER : UN TRÉSOR IRREMPLAÇABLE DISPARAÎT ENTRE WASHINGTON ET CHICAGO.

Petra s'affale sur une chaise et lit :

UNE TOILE DE VERMEER DATÉE DE 1665, *JEUNE FEMME ÉCRIVANT UNE LETTRE*, A ÉTÉ DÉROBÉE LA FIN DE SEMAINE DERNIÈRE, PENDANT SON TRANSFERT DE LA NATIONAL GALLERY

OF ART DE WASHINGTON À L'ART INSTITUTE DE CHICAGO.

CETTE TOILE, D'UNE VALEUR INESTIMABLE SELON LA DIRECTION DE LA NATIONAL GALLERY, ÉTAIT LA PIÈCE MAÎTRESSE D'UNE EXPOSITION QUI DEVAIT OUVRIR LA SEMAINE PROCHAINE À L'ART INSTITUTE. IL S'AGIT DE L'UNE DES TRENTE-CINQ TOILES IDENTIFIÉES DU MAÎTRE NÉERLANDAIS, UNE ŒUVRE MONDIALEMENT CONNUE, INDISCUTABLEMENT UNE DES PLUS PRÉCIEUSES JAMAIS VOLÉES DEPUIS DES SIÈCLES.

« C'EST LE CAUCHEMAR QUI HANTE TOUT RESPONSABLE DE MUSÉE », A DÉCLARÉ N.B. JONES, CONSERVATEUR DE L'EXPOSITION TEMPORAIRE, ENCORE SOUS LE COUP DE L'ÉMOTION. « CE TABLEAU EXTRÊMEMENT FRAGILE DOIT ÊTRE CONSERVÉ DANS DES CONDITIONS D'HYGROMÉTRIE TRÈS PARTICULIÈRES. IL VAUT CERTAINEMENT DES MILLIONS DE DOLLARS, MAIS IL EST ABSOLUMENT INVENDABLE AU MARCHÉ NOIR. LE VOL A PROBABLEMENT ÉTÉ COMMANDITÉ PAR UN COLLECTIONNEUR PRIVÉ. C'EST UNE TRAGÉDIE D'UNE PORTÉE INCOMMENSURABLE. »

SELON L'ART INSTITUTE, LA TOILE EST ARRIVÉE SOUS ESCORTE ARMÉE HIER, EN FIN D'APRÈS-MIDI. QUAND LES CONSERVATEURS ET COMMISSAIRES DE L'EXPOSITION ONT OUVERT LA CAISSE AYANT SERVI AU TRANSPORT, ELLE ÉTAIT VIDE. UN MESSAGE DACTYLOGRAPHIÉ ACCROCHÉ À L'EMBALLAGE PORTAIT CES MOTS : « VOUS EN VIENDREZ À PARTAGER MA CONVICTION. »

LE CONDUCTEUR ET LES GARDES ARMÉS SONT DÉTENUS EN ATTENDANT D'ÊTRE INTERROGÉS.

Petra respire à peine. Elle doit aller trouver Calder. Celui-ci vient d'écouter son père lire des extraits de l'article.

— Je le savais, je le savais, murmure-t-il entre ses dents.

— Qu'est-ce que tu dis, Calder? demande son père en le regardant par-dessus le journal. C'est affligeant, tu ne trouves pas?

En se précipitant dans le couloir, Calder entend son père dire à sa mère :

— Il doit avoir une dictée aujourd'hui.

Calder descend les marches comme un bolide, court chez Petra et arrive juste au moment où elle sort de chez elle. Un seul regard suffit : tous les deux sont au courant. Ils vont s'asseoir sur le trottoir au bout de l'allée des Andalee.

— On s'en doutait, hein? On le savait avant eux!

Calder se met à déchirer fébrilement des feuilles mortes.

— Ouais, on savait sans vraiment savoir, répond Petra d'une voix étranglée. Et puis, qui aurait prêté attention à deux enfants parlant de quelques coïncidences?

— Une chose est sûre : quelque chose de vraiment inquiétant se trame et nous y sommes mêlés, d'une façon ou d'une autre.

Calder ose enfin affronter le regard de Petra.

— Comment est-ce qu'on a pu tomber sur tout ça?

— Ça va te paraître idiot, répond Petra, mais je pense que la dame de Vermeer compte sur nous. Comme si elle avait attendu qu'on la rejoigne.

Tous deux gardent le silence quelques instants. Calder se lève.

— Bon, on fait quoi, maintenant? demande-t-il.

— Ce que ferait Charles Fort : on reste vigilants et on garde la tête froide.

XXX Ce matin-là, Mme Hussey arrive à l'école avec le bras en écharpe. Elle explique qu'elle est tombée chez elle la nuit précédente, pendant une panne de courant. Ce qui semblait fascinant deux jours plus tôt à Petra et Calder s'est soudain transformé en une sinistre affaire : on a volé le tableau du rêve de Petra, son père a un comportement inexplicable, Calder est inquiet pour son copain Tommy et Mme Hussey s'est blessée. Petra et Calder se consultent du regard et récapitulent silencieusement tout ce qui ne tourne pas rond. À qui le tour maintenant?

Mme Hussey a apporté le journal et commence par lire à la classe l'article sur le tableau de Vermeer. Une discussion s'ensuit sur les vols d'œuvres d'art et sur l'habitude qu'ont les malfaiteurs de découper les toiles pour les sortir de leur cadre. L'enseignante leur parle d'un vol qui a été commis en 1990, au musée Isabella Stewart Gardner de Boston. Les cambrioleurs s'étaient déguisés en policiers et avaient convaincu les gardiens du musée de les laisser entrer. Une fois à l'intérieur, ils avaient ligoté les gardiens, éteint les alarmes et dérobé au moins dix tableaux, dont un Vermeer et un Rembrandt qui n'ont jamais été retrouvés. Elle relate d'autres histoires du même genre, insistant sur les forfaits les plus ingénieux ou les plus catastrophiques.

— Il reste à espérer que, cette fois-ci, le voleur n'est pas un professionnel, conclut-elle.

— Vous voulez dire qu'il pourrait commettre un acte stupide? demande Calder. Quelque chose qui le trahirait?

— Ou qu'il finira par craquer sous la pression des événements, répond-elle d'un ton las. Ce matin, je vous laisse travailler seuls. Je ne me sens pas très bien.

Des soupirs joyeux fusent dans la classe, certains élèves se mettent à lire et l'affaire Vermeer semble presque oubliée. Un livre avec une reproduction pleine page de la peinture volée est exposé toute la journée devant le tableau.

En passant devant, Calder constate avec étonnement qu'il s'agit de l'ouvrage que Mme Hussey a acheté chez Powell deux semaines plus tôt. Calder avait alors cru voir « en bas » sur la couverture. En réalité, le titre exact est : *L'Art des Pays-Bas*.

Il fait part de sa découverte à Petra.

— Encore une coïncidence, dit-elle d'une voix éteinte. Et je n'aime pas trop l'allusion de la prof à propos du voleur qui risquerait de craquer. C'est plutôt elle qui donne l'impression de craquer, je trouve.

— Tu crois qu'on devrait lui parler de nos recherches? Ça l'égayerait peut-être.

Petra reste songeuse un instant.

— Non... dit-elle à voix lente. Et je ne sais pas pourquoi, mais je pense qu'elle a des ennuis. Il vaut mieux qu'elle ne sache pas qu'on l'a remarqué, sinon on ne pourrait pas l'aider.

— Tu as raison, approuve Calder. Elle n'aimerait pas nous savoir en danger non plus.

Il se souvient brusquement du pentomino expédié par Denise sous le bureau de l'enseignante. C'était un T. Comme Tragédie.

XXX En revenant de l'école, Calder et Petra aperçoivent Mme Hussey traversant l'avenue Harper en direction de la librairie Powell. Pas un instant à perdre.

Ils se précipitent au coin de la rue et scrutent les environs. Personne en vue. Elle a dû pénétrer dans la boutique.

— Nous pourrons peut-être voir quelque chose à travers la vitrine, dit Calder. D'habitude, M. Watch est tourné vers l'intérieur, mais elle, on ne sait pas.

Petra hoche la tête en signe d'approbation.

Ils vont s'accroupir au pied de la vitrine et se redressent juste assez pour jeter un œil par-dessus les présentoirs. Leur enseignante est en pleine discussion avec M. Watch. Leurs visages se touchent presque.

Drôlement frustrant d'être si près d'eux et de ne rien entendre. Calder s'interroge sur M. Watch : pourquoi passe-t-il tout son temps dans la section Livres d'art du magasin, sous prétexte de ranger ses rayons? Pourquoi se montre-t-il si amical avec Mme Sharpe, au point de la conduire lui-même jusqu'à la librairie avant que Calder commence ses livraisons? Mme Hussey et lui seraient-ils amis?

De son côté, Petra se demande pourquoi Mme Hussey a acheté ce livre sur Vermeer quelques semaines plus tôt, et si c'est encore une coïncidence. L'enseignante a certainement le goût de l'aventure. Se serait-elle embarquée dans une affaire dont elle ne peut plus sortir? Est-elle réellement tombée à son domicile la nuit précédente? Sa blessure a-t-elle un rapport avec le vol du tableau?

En rentrant chez eux, Petra et Calder échangent leurs impressions. Ils sont aussi inquiets l'un que l'autre. Ils ne voient pas Mme Hussey et M. Watch quitter ensemble la librairie. Sous son bras valide, l'enseignante tient un gros paquet.

XXX Le lendemain matin, une lettre anonyme paraît à la une du *Chicago Tribune* :

> *Chers amis des arts,*
> *Je suis la personne responsable de la disparition temporaire de* Jeune Femme écrivant une lettre. *La toile est toujours dans son cadre et ne subira aucun dommage. Elle sera restituée dès que les mensonges entourant l'œuvre de Johannes Vermeer seront dévoilés. J'ai commis un délit, mais en mon âme et conscience je sais que ce vol est une bénédiction. Il faut parfois prendre de gros risques pour faire éclater la vérité.*
> *Voici le problème : le grand peintre connu sous le nom de Johannes Vermeer n'a peint en vérité que vingt-six des trente-cinq toiles qu'on lui attribue. Ces Vermeer authentiques ont été produits entre 1656 et 1669. Vous vous demandez peut-être ce*

qui me permet d'affirmer cela. Constatez par vous-mêmes. Son coup de pinceau est inimitable, sa vision du monde et son originalité, impossibles à reproduire.

Comment expliquer que nous ne disposions d'aucune archive, d'aucun document imprimé concernant l'œuvre de ce grand artiste? Pourquoi ignorons-nous presque tout de sa vie?

Je crois connaître la réponse : les élèves du grand peintre, et peut-être des membres de sa famille et ses plus grands admirateurs, se sont emparés de ces documents et les ont détruits après sa mort. Par la suite, des tableaux réalisés par les élèves de Vermeer, sous sa direction ou sous son influence, ont été vendus en tant qu'œuvres du maître, précoces ou tardives. Les siècles ont passé, et Vermeer a sombré dans l'oubli.

L'œuvre du peintre néerlandais ayant acquis une immense valeur au cours du XXe siècle, les propriétaires de ces toiles dites précoces ou tardives n'étaient évidemment pas disposés à reconnaître qu'ils possédaient de faux Vermeer. Ces toiles sont actuellement exposées dans un certain nombre de grands musées, notamment le Metropolitan Museum of Art de New York et la National Gallery de Londres. Qui, aujourd'hui, aurait le courage de rectifier de telles erreurs? Qui, hormis le public dans son ensemble, lequel n'a rien à perdre?

Que faire? D'abord, aller voir ces œuvres, tout simplement. Si vous ne pouvez vous rendre dans les musées, regardez des reproductions dans les livres. Demandez-vous, après avoir étudié les chefs-d'œuvre de Vermeer créés juste avant 1660 et dans les années qui ont suivi, si ces autres tableaux possèdent le même pouvoir envoûtant, la même vibration lumineuse, la même atmosphère mystérieuse donnant l'impression d'un rêve. Je vous pose la question.

Le grand art appartient à l'humanité. Ne vous laissez pas intimider par les experts. Fiez-vous à votre instinct. N'ayez pas peur de vous élever contre l'enseignement que vous avez reçu, contre ce qu'on vous a appris à voir et à croire. Chaque être, chaque œil a droit à la vérité. Ces tableaux vous parleront comme ils m'ont parlé, j'en suis persuadé.

Quand vous aurez examiné ces œuvres d'un regard nouveau, vous en viendrez à partager ma conviction. Il faudra ensuite dissiper toute confusion possible.

Pour arriver à ce résultat, il vous faut protester. Soyez intraitables, faites-vous entendre et que nul ne l'ignore. J'espère que vous serez des milliers à écrire aux responsables des musées, à la presse, aux détenteurs du pouvoir.

Lorsque ce qui subsiste de l'œuvre de ce grand peintre sera correctement identifié, je restituerai Jeune Femme écrivant une lettre.

J'attends impatiemment votre participation. Je vais créer un site Web où vous pourrez laisser vos messages. Je les conserverai et le monde entier les lira.

Quant aux trois personnes à qui j'ai adressé une lettre en octobre, elles se reconnaîtront. Je ne les remercierai jamais assez. Elles ont joué un rôle inestimable.

Félicitations à tous pour votre sens de la justice.

Le scandale est instantané et spectaculaire.

CHAPITRE DOUZE
Un thé à quatre heures

XXX Les journaux du monde entier ont reproduit la lettre du maître chanteur. C'est une grande première : un érudit se métamorphose en voleur et demande au public de l'aider!

Du jour au lendemain, la classe de Mme Hussey se transforme en musée-laboratoire. Les murs se couvrent de reproductions de tableaux de Vermeer et des piles de livres s'entassent dans tous les coins. Les élèves ont emprunté de grosses loupes en salle de sciences pour comparer les carrelages peints par Vermeer dans les années 1660 avec ceux des années 1670, ou la représentation des mains à différentes époques. Ils étudient rides, réflexions lumineuses, ombres, bois, verres et tissus, et découvrent ainsi que la plupart des reproductions manquent de netteté quand on les observe de près. Mme Hussey a l'air d'apprécier le brouhaha et les discussions; elle encourage même chacun à défendre ses opinions. Calder s'est vu confier la tâche d'organiser les données recueillies par la classe dans un immense tableau. Quant à Petra, elle doit enregistrer les conclusions obtenues à propos des « vrais » et des « faux » Vermeer. D'autres enfants ont mis au point un système de vote et analysent les résultats ou préparent des courriers qu'ils vont afficher sur Internet.

Si le sujet passionne la classe de Mme Hussey, ailleurs, c'est plutôt la crise de nerfs. Les musées et le monde de l'art sont en émoi, et des débats houleux agitent les spécialistes. De l'avis unanime, néanmoins, la sécurité du tableau passe avant toute chose. Récupérer la toile est une priorité. Tout le monde s'accorde aussi à dire qu'on ne peut pas laisser un terroriste, si érudit soit-il, exercer un chantage sur un établissement culturel et mettre en péril un chef-d'œuvre universel, sous prétexte de faire triompher son point de vue. Les prétentions du malfaiteur sont tout bonnement inacceptables.

En même temps, cette lettre a enflammé le public et stimulé son imagination. La presse, bien entendu, n'a fait qu'attiser les flammes. Tout un chacun, de la vedette sportive au chauffeur de taxi, se sent soudain habilité à donner son avis sur les « vrais » et les « faux » Vermeer. On publie quotidiennement des interviews sur le sujet, on discute avec assurance du maître néerlandais dans les restaurants chics, dans le métro, dans les beigneries, dans les ascenseurs. Il y a comme une vague de rébellion contre les experts en peinture. Après tout, l'art est à tout le monde, et, comme le suggère le voleur, une paire d'yeux en vaut bien une autre. La faculté de voir dépendrait-elle de l'éducation ou d'un quelconque diplôme?

Sur Internet, les courriers s'accumulent par milliers. Beaucoup de correspondants se rangent à l'opinion du mystérieux voleur. Certains vont jusqu'à lui pardonner, au nom de la vérité, estimant que la mission qu'il s'est fixée n'aurait pas déplu à Vermeer en personne.

À l'école, le jour du vote est arrivé : les élèves de Mme Hussey doivent se prononcer sur la « paternité » réelle des trente-cinq tableaux attribués à Vermeer. Mme Hussey est singulièrement calme. *Les élèves de la sixième année partagent en majorité l'avis du voleur : les toiles du début et de la fin de la carrière du peintre sont effectivement douteuses.*

Curieux de connaître son opinion et pensant lui faire plaisir, Calder pose à l'enseignante la question que celle-ci réserve ordinairement aux élèves :

— Alors, vous êtes d'accord?

— Nous verrons, répond-elle du ton réservé qu'ont les adultes qui se prennent très au sérieux.

Cela ne lui ressemble pas du tout. On dirait qu'elle a peur, se dit Calder en la voyant détourner les yeux.

XXX Plusieurs semaines se sont écoulées depuis que Mme Sharpe a invité Calder et Petra à prendre le thé. Dans l'intervalle, *Jeune Femme écrivant une lettre* a disparu, ce qui ne l'empêche pas d'être partout dans les médias et les conversations. Les deux enfants, quant à eux, gardent leur secret.

Mme Sharpe a déposé un message chez Powell : Calder et son amie sont invités pour le thé le lundi 22 novembre.

En discutant sur le chemin qui les conduit chez elle, Petra et Calder tombent d'accord sur un point : Mme Sharpe est exactement la personne qu'il faut rencontrer, car elle apprécie autant Charles Fort que Vermeer et doit sûrement avoir sa petite idée sur le voleur.

En arrivant, Calder entrevoit, derrière une fenêtre du rez-de-chaussée, un impeccable croissant de cheveux blancs : le chignon de leur hôtesse. Il commence à faire sombre dans la rue et l'intérieur éclairé de la maison fait penser à un tableau. À travers le vieux vitrage, les images tremblotent : on distingue un coin de la reproduction du *Géographe* au-dessus du divan, un demi-cercle de lumière rosée au plafond, un rideau en dentelle. Soudain, comme pour les punir de leur curiosité, une main s'élève et détache le store, qui s'abat brusquement.

— Calder, il y a quelque chose d'étrange ici.

— Qu'est-ce que tu veux dire?

Avant que Petra ait pu lui répondre, Mme Sharpe ouvre la porte.

— Alors c'est toi, la jeune fille qui a récupéré mon livre. Dépêchez-vous d'entrer, vous laissez pénétrer l'air froid. Nous prendrons le thé et le goûter dans la cuisine. Je déteste le désordre.

Petra marmonne quelques commentaires flatteurs sur la maison, auxquels la vieille dame ne prête aucune attention.

— Regardez où vous mettez les pieds, et ne touchez à rien.

Calder ne peut pas s'empêcher de trouver l'accueil un peu grossier. Pour quelqu'un d'aussi convenable, cela paraît bizarre. À peine si elle leur a dit bonjour!

Les murs de la cuisine sont carrelés avec de la faïence de Delft et les assiettes dans les placards vitrés sont du même bleu sur fond blanc. Une vieille table usée en bois jaune clair trône au milieu de la pièce. De lourdes chaises à dossier orné

de têtes de lions sont disposées autour. Un plateau repose sur la table, avec un service à thé et une assiette de petits gâteaux au chocolat. Il y a aussi des serviettes brodées et, au centre de la table, un pichet en terre cuite contenant une brassée de tulipes rouges.

— C'est comme chez Vermeer! s'exclame Petra avec ravissement en effleurant du doigt le carrelage bleu cobalt du comptoir.

— Assoyez-vous, tous les deux. Vous n'êtes pas ici pour admirer le mobilier, dit la vieille dame d'une voix pincée.

Elle ne semble pas commode.

— Nous sommes ici pour parler de Charles Fort, reprend-elle d'un ton radouci. Ce jeune homme m'a dit que tu avais récupéré mon exemplaire de *Lo!* devant la librairie Powell... Mais mangez donc, vous vous expliquerez après.

Calder et Petra s'assoient et sirotent poliment leur thé. La porcelaine des tasses est si fine qu'ils voient leurs doigts à travers. Le bruit que fait Calder en buvant tranche avec le silence ambiant. Petra se retient de rire, et manque s'étrangler avec un morceau de gâteau qu'elle fait passer avec une gorgée brûlante d'Earl Grey.

— Bon. Alors, ce Charles Fort. Qu'est-ce que vous en pensez, tous les deux?

Petra s'éclaircit la voix :

— Il cherche la vérité à sa façon, sans s'inquiéter de l'opinion générale. On aime bien ça, Calder et moi. Il est très courageux.

— Oui...

En même temps, Mme Sharpe fixe Petra d'un regard qui la met très mal à l'aise. Elle cherche du soutien dans les yeux de Calder.

— Calder et moi sommes très inspirés par... eh bien, par sa manière de voir les choses. On dirait que la plupart des gens n'ont pas le courage de poser les bonnes questions, contrairement à Fort.

— Oui. Sa pensée a beaucoup d'importance à mes yeux.

Ce disant, Mme Sharpe regarde froidement sa tasse, comme si elle venait de parler à sa place. Petra se demande si la vieille dame n'en a pas trop dit. Elle prépare sa réponse, mais Calder lui coupe l'herbe sous le pied :

— Alors, pourquoi avez-vous jeté votre livre?

Ces mots à peine prononcés, il les regrette. Grossière erreur de sa part. Il n'est pas facile de discuter avec la vieille femme. Aussi dangereux que de jouer avec un fauve.

— J'avais fini de le lire, dit-elle d'un ton qui laisse clairement entendre qu'elle pourrait en finir avec Calder tout aussi vite.

Nouveau silence pesant.

— Il y avait une horrible tache sur la couverture, comme vous avez dû le remarquer, et l'œuvre de Fort vient d'être magnifiquement rééditée en un seul volume que j'ai acheté.

Calder s'abstient prudemment de tout commentaire.

Petra reprend du sucre et tourne sa cuillère dans sa tasse.

— Vous devez aimer Vermeer. C'est affreux, le vol qui

vient d'arriver, vous ne trouvez pas?

Mme Sharpe arbore un masque impénétrable.

— Charles Fort aurait été très satisfait, dit-elle.

— Pourquoi? demande Petra, abasourdie.

— Satisfait par toutes les questions, vous voulez dire? fait Calder qui croit avoir compris.

Mme Sharpe émet un son proche du grognement. Calder se recroqueville, conscient d'avoir encore dépassé les bornes. « Je vais trop vite, se reproche-t-il. Qu'est-ce qui m'arrive? »

Petra tente de calmer le jeu :

— Vous voulez dire qu'il aurait été satisfait de voir les gens penser par eux-mêmes?

Calder a sorti de sa poche un pentomino qu'il tapote nerveusement sur son genou. D'interminables secondes s'écoulent. Mme Sharpe rompt le silence :

— Je pense que le voleur est très intelligent.

Les deux enfants la regardent avec attention.

Calder ne peut pas se retenir :

— C'est certain qu'il est malin, mais de là à approuver le vol...

Nouveau silence. Calder a l'impression que les yeux de Mme Sharpe lui perforent le front.

— Je suis d'accord avec Charles Fort, reprend celle-ci. Les gens ne regardent pas assez attentivement ce qu'il y a autour d'eux.

Puis la vieille femme se lève. Fin de l'entretien.

Petra et Calder la suivent sans mot dire en direction de la

porte, en tentant de capter chaque détail visuel : pichet en étain... plusieurs tapisseries... gobelets en verre bullé...

— Nous allons nous revoir. Je laisserai un mot à M. Watch.

Sur quoi, elle leur ferme la porte au nez avant qu'ils aient pu dire un mot.

Ils échangent un regard sur le trottoir, dans la lumière du soleil couchant. Calder a gardé son pentomino dans la main. Le F.

— Pour quelqu'un qui prétend adorer Vermeer, elle n'avait pas l'air bouleversée, dit Petra.

Calder fronce les sourcils.

— Tu sais ce que vient de dire mon pentomino? Feintés. Si elle n'était pas si vieille, on pourrait presque la soupçonner d'avoir participé au vol.

— Pourquoi aurait-elle volé ce tableau? Et puis, tu l'imagines en train d'embaucher une bande de criminels pour faire le sale travail? Mais ce qu'elle a dit sur les gens qui ne regardent pas autour d'eux ressemble presque à un indice.

Ils avancent en silence.

Calder se gratte le menton avec le pentomino.

— À ton avis, qui est feinté, elle ou nous?

XXX En rentrant chez lui ce soir-là, Calder trouve un nouveau message de Tommy :

L:1 F:1 Z:1 N:1 P:1 T:2,
T:1 T:2 P:1 N:1 – F:2′F:1 –

U:2 W:2 T:2 N:2 T:2 W:1 U:2 –
L:1 V:1 P:1 T:2 L:1 V:1 F:1 I:2 V:2 –
W:1 I:2 N:1 W:1 L:1 P:1 U:2 – U:2 W:2 T:2 –
T:1 T:2 L:2 U:1.
W:1 Z:1 – U:2' P:1 U:2 V:2 –
T:1 F:1 L:1 V:1 P:1 –
F:1 – L:1 L:2 I:2 T:1 W:1 U:2 P:2 W:2 P:1 –
F:2 L:2 I:2 – X:2 P:1 Z:1 L:2.
F:2 F:1 F:2 F:1 I:2 – P:1 V:2 –
T:1 T:2 P:1 N:1 – U:2 P:1 –
N:1 W:1 U:2 N:2 W:2 V:2 P:1 I:2 V:2.
V:2 L:2 F:2 F:2 F:3

Calder se sent en partie responsable. C'est lui qui a suggéré à Tommy de jouer au détective, et voilà que son copain a des ennuis par sa faute. Tommy porte le fardeau tout seul, se dit-il, tandis que Petra et lui partagent des secrets. En fait, il n'a jamais rien caché à son ancien confident et, si celui-ci s'est retrouvé isolé, c'est parce qu'il s'est passé énormément de choses depuis son départ.

Il décide d'appeler son copain. Un coup de fil n'aura pas la même intimité que leur échange de messages codés, mais au moins, ils pourront échanger quelques plaisanteries.

Calder compose le numéro et tombe sur un répondeur qui lui apprend que la ligne est coupée. Un frisson de panique lui parcourt l'échine.

Il appelle Petra et lui apprend les nouvelles.

— Je ne peux pas m'empêcher de penser à Charles Fort et à ses histoires de disparitions, se produisant parfois dans une même région. Tu ne crois pas que c'est ça qui est arrivé?

— Non, mais devine quoi? répond-elle à voix basse. Mon père est parti en voyage d'affaires et n'a pas voulu dire à ma mère où il allait. Il n'était pas fâché, mais il ne pouvait rien lui dire pour l'instant. Il n'est plus le même depuis quelque temps, comme s'il avait disparu lui aussi, en quelque sorte.

Les deux enfants se taisent.

— Tu as le carnet Vermeer avec toi? demande Calder.

— Bien sûr.

— Est-ce que tu pourrais ajouter quelque chose sur notre entretien avec Mme Sharpe? Et puis sur le message de Tommy, la coupure de sa ligne, et le voyage de ton père pendant que tu y es. Quelquefois, on y voit plus clair en écrivant tout ce qui se passe.

— Bonne idée. Dépêche-toi de venir.

En l'attendant, Petra consulte la dernière page du carnet. « Question : les répétitions d'objets ou de personnages chez V. sont-elles dues au fait qu'il peignait chez lui? » Elle se souvient maintenant qu'ils s'étaient demandé si cette femme qui figuraient souvent sur les toiles de Vermeer, entourée d'objets familiers, était quelqu'un de l'entourage du peintre.

Machinalement, elle souligne « répétitions d'objets ou de personnages ». Qui est-ce, au juste, cette Jeune Femme écrivant une lettre? Son anonymat, ajouté au vol, paraît soudain désespérant à Petra. Une inconnue, cachée dans les ténèbres, toute seule, en danger... Petra ferme les paupières, une larme coule sur sa joue et, au même instant, la dame lui apparaît, avec ses boucles d'oreilles scintillant dans la lumière. « Ne t'inquiète pas, semble-t-elle dire. Je me souviens de toi et je suis là. »

Petra rouvre les yeux, se redresse et se mouche. « Mais où êtes-vous passée? » se demande-t-elle intérieurement. Elle se sent bête et exaltée. Où peut-on dissimuler une peinture de petit format? Tiroir, armoire, placard, penderie, coffre de rangement... tout ce qu'elle imagine est en bois. Soudain, une certitude étrange s'impose à son esprit : ce qu'ils cherchent, c'est un bois précieux, un bois de couleur sombre.

En arrivant, Calder la surprend en train d'écrire avec frénésie.

— Calder! Je crois qu'on a un indice!

Elle raconte comment la femme du tableau l'a aidée à réfléchir. C'est important que Calder comprenne cela.

Il hausse les épaules.

— C'est logique, en fait. On trouve du bois précieux dans les endroits raffinés. Le voleur est quelqu'un de cultivé, peut-être très riche. Il peut tout à fait habiter dans un manoir plein de vieux cagibis ou de trucs comme ça. Bien vu.

Petra écrit :

Chercher des espaces de rangement en bois à Chicago.

Il y aurait la maison de Mme Sharpe, bien sûr, mais ni l'un ni l'autre ne se souviennent d'avoir vu quoi que ce soit qui corresponde à cette description dans le salon ou la cuisine.

— On pourra explorer d'autres pièces de la maison la prochaine fois, suggère Calder. Je n'aurai qu'à dire que j'ai besoin d'aller aux toilettes et je filerai à l'étage. À moins qu'elle ne commande un livre chez Powell avant.

Un rire nerveux les secoue à la pensée de la vieille femme piquant une crise après les avoir surpris en train d'espionner chez elle.

— On serait les prochains sur la liste des disparus, fait Calder.

Au moment de refermer le carnet, ils s'accordent un p'tit bleu. C'est réconfortant d'avoir des projets.

CHAPITRE TREIZE
À bas les experts!

XXX Le lendemain matin, une nouvelle surprise. De Mme Hussey, cette fois.

Elle demande aux élèves de réfléchir à ce qu'ils auraient fait si le voleur leur avait écrit une lettre personnelle avant le vol et l'avait déposée chez eux.

— Vous voulez dire comme celles qu'ont reçues les trois personnes évoquées par le voleur?

— Pas obligatoirement. Il s'agit juste d'inventer une situation.

Elle a repris un peu de son petit air complice, comme s'ils étaient tous dans la même galère. Les élèves perçoivent son excitation et le silence s'installe dans la classe.

Cette lettre, explique Mme Hussey, serait bien sûr anonyme, leur demanderait de l'aide moyennant une importante somme d'argent et garantirait la respectabilité de la cause. Dernier point, et non des moindres, elle les menacerait de mort s'ils la montraient à qui que ce soit.

Petra griffonne un petit mot à Calder :

La lettre qui m'a échappé sur l'avenue Harper l'autre jour parlait exactement de ça! Sauf que je n'ai pas pu la lire jusqu'au bout et que je ne me souviens pas d'une menace.

Pendant que Calder lit le mot, Mme Hussey poursuit :

— Je fais appel à votre jugement. Il est impossible de savoir si le voleur est bon ou mauvais. Ça n'apparaît pas clairement dans la lettre. Ce qui m'intéresse, c'est de savoir comment vous réagiriez. À propos, Calder, voudrais-tu me passer ce que tu es en train de lire, s'il te plaît? Je n'autorise pas ce genre de communication pendant les cours.

Bref regard inquiet de Calder vers Petra, qui se tasse sur sa chaise. En apportant le mot à l'enseignante, Calder piétine consciencieusement le pied de Denise, tendu dans l'allée. Mme Hussey glisse le papier dans sa poche.

Petra sent sa gorge se nouer, bien qu'elle compte sur l'indulgence de l'enseignante. Comment expliquer la ressemblance entre la lettre envolée et celle que Mme Hussey leur demande d'imaginer? Coïncidence, encore? On n'en est plus à une près! À moins que Mme Hussey ait précisément récupéré celle de l'avenue Harper?

Petra se redresse sur sa chaise, rassurée par cette hypothèse.

Pendant ce temps, Mme Hussey écrit les premières réponses au tableau.

— Aller voir la police immédiatement et demander une protection.
— Cacher la lettre et tâcher de trouver qui l'a écrite.
— Changer la serrure de la porte d'entrée.
— Faire ce qui est demandé. Vivre une aventure en espérant ne pas enfreindre la loi.
— En parler à un ami, lui faire jurer de n'en souffler mot à personne, et discuter de ce qu'il faut faire.

Comme à son habitude, Mme Hussey recueille soigneusement toutes les réponses. À la dernière suggestion, cependant, une larme lui échappe, qu'elle essuie d'un geste vif en marmonnant quelque chose sur une poussière qu'elle a dans l'œil.

Après la classe, Petra et Calder se retrouvent dans le couloir. Calder a l'air tourmenté.

— Penses-tu que la prof a reçu une des trois lettres, dit-il, qu'elle l'a jetée et que toi, tu es tombée dessus? C'est peut-être pour se faire aider qu'elle nous demande nos réactions.

— Mais pourquoi ce voleur se serait-il adressé à elle, une simple enseignante de sixième année? remarque Petra d'un ton incertain.

— Les gens les mieux intentionnés se laissent parfois entraîner dans de sales affaires.

Tommy, Frog, peut-être le père de Petra, et Vermeer lui-même...

Faudra-t-il ajouter Mme Hussey sur la liste?

XXX Le message dactylographié retrouvé dans l'emballage vide lorsque la peinture a été volée a provoqué un tapage sans précédent. « Vous en viendrez à partager ma conviction. » Cette phrase a été reprise absolument partout, sur tous les supports possibles. On l'a vue peinte sur les wagons du métro, sur les murs, sur des facades à New York, Chicago, Tokyo, Amsterdam. On l'a lue sur des t-shirts en anglais, néerlandais, français, espagnol et même en japonais. Des manifestations,

des marches de protestation ont eu lieu devant divers musées et établissements culturels. « Dites la vérité! », « Protégez nos musées! », « À bas les experts! », « Viva Vermeer! » proclamaient les pancartes. Les responsables des musées, placés sous escorte policière permanente, ont vécu des moments difficiles.

Au moment où les passions commençaient à retomber, les journaux ont publié une pleine page de publicité sous forme de message : « Vous faites ce qu'il faut », y lisait-on simplement. Réaction instantanée du public avec une avalanche de messages électroniques, et nouveau battage médiatique.

Quelques jours plus tard, nouveau message selon la même procédure, visiblement destiné à une opinion qui devient hésitante : « Soyez patients, n'abandonnez pas », disait le mystérieux correspondant.

Enfin, le lendemain du test de réaction organisé par Mme Hussey, Calder et Petra lisent un dernier message dans le *Chicago Tribune* : « Vous partagez maintenant ma conviction. D'autres vous rejoindront. »

Sous le texte, en petits caractères, la rédaction informe les lecteurs qu'en accord avec le FBI, la police locale et un comité de directeurs de musée, elle a décidé de ne pas faire paraître les prochains avertissements du malfaiteur. Canal coupé.

Le premier message avait été posté de New York une semaine après le vol, le deuxième de Florence une semaine plus tard et le troisième d'Amsterdam. Ce pied de nez aux autorités ressemble fort à une provocation.

XXX Ce matin, Mme Hussey s'abstient de toute remarque concernant le mot destiné à Calder qu'elle a intercepté. Elle ne l'a peut-être pas lu, se dit Petra avec soulagement. Une discussion s'engage dans la classe au sujet de la dernière annonce du voleur.

— Pourquoi ce vol n'aurait-il qu'un seul auteur? demande Mme Hussey en tortillant distraitement sa queue de cheval autour d'un doigt. C'est peut-être d'un groupe de malfaiteurs qu'il s'agit, non?

Calder lève la main.

— La police ne parle-t-elle pas de la complicité de trois personnes?

— Je ne sais pas, fait Mme Hussey. Tout dépend de ce qu'on entend par complicité. Et personne ne sait si ces trois lettres ont vraiment existé.

Elle a l'air tellement perplexe que Petra et Calder commencent à se demander si leur hypothèse de la veille n'était pas trop hâtive.

Une chose est claire pour les élèves de sixième année : finalement, et malgré ce qui s'est passé en début d'année, la lettre est bel et bien un moyen de communication très employé.

CHAPITRE QUATORZE
Interrupteur

XXX En arrivant chez Powell cet après-midi-là, la première chose que remarque Calder est un grand sac en papier sur lequel M. Watch est en train d'écrire un nom au marqueur indélébile : **S-H-A-R**.

Ils échangent un rapide salut et le libraire montre du doigt une énorme pile de livres pour enfants.

— Il faudrait me classer tout ça, dit-il avant d'ajouter **P-E** sur l'enveloppe.

— Mais je préférerais porter ce paquet, lâche Calder. Elle est gentille, Mme Sharpe, précise-t-il en pensant qu'elle est tout sauf cela.

— Je peux m'en charger en rentrant chez moi, réplique M. Watch en se levant et en rajustant ses bretelles.

Calder jette un regard navré sur la pile de livres à ranger. Au bout d'un moment, M. Watch s'absente pour aller à la toilette. Calder se précipite aussitôt sur le sac et l'ouvre discrètement.

Pas vraiment des gros tirages, là-dedans. Plusieurs titres sur l'histoire des mathématiques, un volume intitulé *Sur la pluralité des mondes*, un autre qui a pour titre *Aux sources de la coïncidence*. Calder entend la chasse d'eau et referme hâtivement le sac. Curieux, tout de même, que Mme Sharpe s'intéresse justement aux coïncidences.

Le garçon place les livres sur les rayonnages en quatrième

vitesse et revient au comptoir. Surpris de sa promptitude, M. Watch lui adresse un sourire qui laisse voir une rangée de petites dents pointues. Pas étonnant qu'il garde constamment la bouche fermée...

— Vous êtes sûr que vous ne voulez pas que je fasse cette course? demande Calder en montrant le sac.

— Bon, d'accord, fait M. Watch en mettant la main dans sa poche, comme pour y chercher quelque chose. Attends... Oh, et puis non. Vas-y.

Calder marche rapidement sur l'avenue Harper. Devrait-il arrêter chez Petra et lui dire où il va, juste au cas où? Non, c'est ridicule.

À sa grande surprise, la porte s'ouvre sur une Mme Sharpe presque souriante. Ses rides se voient moins aujourd'hui.

— Entre, mon garçon. Je vais te chercher le chèque.

Elle le fait patienter à l'entrée et Calder en profite pour jeter un coup d'œil autour de lui. Nul doute qu'elle a de l'argent. Qu'est-ce qu'elle fait de ses journées? À côté de l'ordinateur, sur une petite table près du bureau, il remarque une grosse pile de paperasses. Elle écrit peut-être des livres, qui sait? Femme de lettres et voleuse?

En la voyant revenir, Calder commence à se dandiner d'un pied sur l'autre en serrant les genoux. Pourvu que ça marche.

Mme Sharpe baisse les yeux sur ses pieds. Il saute sur l'occasion :

— Heu, madame Sharpe, excusez-moi, mais est-ce que je pourrais utiliser la toilette, s'il vous plaît?

— À gauche, en haut de l'escalier...

...que je monte encore très bien à mon âge, semble dire le petit regard perçant qui accompagne sa réponse.

Calder, le cœur battant, transpirant déjà, s'élance dans l'escalier. Il s'arrête en haut et se retourne, essayant d'embrasser du regard le plus d'espace possible. Tiens, ici, à droite, une grande armoire... l'endroit idéal pour cacher quelque chose, et curieusement semblable à celle du *Géographe*, d'ailleurs.

La voix de Mme Sharpe lui parvient d'en bas :

— L'interrupteur est derrière la porte.

Calder entre à tâtons dans la première pièce qui se présente et allume. Une grande chambre à coucher. Encore une grande armoire, avec des portes sculptées couvrant presque le mur du fond.

— Oups! Ce n'est pas là! fait Calder à haute voix pour donner le change.

Il retourne sur le palier.

— Ah, voilà!

Il referme sur lui la porte de la toilette et respire un bon coup. Au bout de quelques instants, il tire la chasse et ressort.

Avant de redescendre, il a encore le temps de remarquer un coffre à grosses ferrures, sous un banc. Que de meubles de rangement en bois dans cette baraque!

— Merci, madame, dit-il d'un air détaché en prenant le chèque qu'elle lui tend. À bientôt.

La porte s'est refermée derrière lui sans qu'il s'en rende

compte. La vieille femme ne semble pas du genre à s'embarrasser d'un au revoir...

Calder se rend aussitôt chez Petra et l'invite chez lui, où l'atmosphère est plus calme. Elle emporte le carnet de notes de l'affaire Vermeer. Il y a plein de nouvelles choses à écrire.

— Mon père est revenu, annonce-t-elle joyeusement en chemin. Il était parti faire des recherches pour son travail. Curieux de faire ça en secret, non?

— Pas tant que ça. Tout est secret, ces jours-ci.

Dans la chambre de Calder, ils s'assoient sur le plancher. Petra note d'abord les titres des livres que contenait le sac, du moins ceux dont il se souvient. Calder dessine ensuite les armoires qu'il a observées. Au moment où ils s'accordent un p'tit bleu, on frappe à la porte.

— Calder, une lettre pour toi! Encore ton ami Tommy, j'ai l'impression.

Calder déchire l'enveloppe fébrilement et commence à déchiffrer le message à haute voix sous les yeux de Petra, fascinée.

— Comment as-tu appris ça?

— Je l'ai inventé, répond-il, heureux qu'elle ait été là pour le voir.

L:1 F:1 Z:1 N:1 P:1 T:2,
T:1 T:2 P:1 N :1 – N:2 F:1 T:2 V:2 W:1.
L:2 I:2 – X:2 P:1 W:2 V:2 – T:2 P:1 I:2 V:2 T:2 P:1
T:2 –

L:1 V:1 P:1 I:3 - I:2 L:2 W:2 U:2 - F:2 F:1 W:1 U:2 -
N:2 F:1 U:2 - N:1'F:1 T:2 U:1 P:1 I:2 V:2.
V:2 L:2 F:2 F:2 F:3

— Oh! oh! dit-il en finissant de lire, syllabe par syllabe. Il y a quelque chose d'autre que nous devons faire : nous devons sauver Tommy maintenant!

XXX Calder et Petra passent toute la fin de semaine à cuisiner des carrés au chocolat et à les vendre sur l'avenue Harper. Ils expliquent aux voisins que c'est pour aider Tommy Segovia et sa mère Zelda à rentrer chez eux, parce que le beau-père de Tommy a déserté le domicile familial. « Du jour au lendemain », précise Calder, très efficace dans son rôle humanitaire. La sympathie des gens est unanime et leur caisse ne tarde pas à se remplir.

Le dimanche, en fin de journée, alors qu'ils vident leur recette, 129 $, dans des boîtes de café pour l'apporter à la banque, un bulletin spécial est diffusé sur la chaîne de télé locale.

Une personne âgée résidant à Chicago a fait part à la police d'une étrange lettre déposée sur son perron en octobre. La personne s'appelle Louise Coffin Sharpe. Elle demande la protection des forces de l'ordre.

— QUOI? hurlent Petra et Calder, qui, délaissant l'argent qu'ils comptaient, filent à la porte du salon, où les parents de Calder regardent les nouvelles.

Le présentateur lit la lettre à haute voix. Elle ressemble étrangement à ce que Mme Hussey leur a demandé d'imaginer. Petra et Calder échangent un regard.

— Pour une dame seule de cet âge, commente le journaliste, c'est un acte courageux que d'avoir apporté la lettre à la police.

Visiblement, le reporter n'a jamais rencontré la dame en question.

— Bon Dieu, fait la mère de Calder en se tapant le front, mais elle habite au coin de la rue, cette Mme Sharpe! Et Calder qui vient d'y aller!

— Mme Sharpe est dans le coup! souffle Calder à l'oreille de Petra. Elle a mis du temps à réagir. Tu crois qu'elle a attendu que le voleur se manifeste?

— Pas la moindre idée. Quant au lien avec l'exercice de la prof, ça s'enchaîne trop bien pour n'être qu'une coïncidence.

— C'est drôle, dit le père de Calder à sa femme, le mari de Mme Sharpe était justement spécialiste de l'œuvre de Vermeer.

Calder et Petra sont stupéfaits. M. Pillay continue :

— Il me semble avoir entendu dire que son mari était mort assassiné en Europe il y a plusieurs dizaines d'années. À l'époque, il se livrait à des recherches sur Vermeer.

Les deux enfants se regardent.

— Assassiné comment? demande Calder à son père.

— Je ne sais plus trop. Un crime gratuit, en pleine rue, si ma mémoire est bonne. Il était au mauvais endroit, au mauvais moment... quelque chose comme ça. On n'a jamais arrêté qui que ce soit.

— Pauvre Mme Sharpe, dit Petra. Ça explique pas mal de choses sur son comportement.

— Et sur autre chose, peut-être, ajoute Calder.

XXX Cette nuit-là, beaucoup de coups de fil s'échangent aux alentours de Hyde Park. Planté devant la fenêtre du salon après le départ de Petra, Calder contemple le tournoiement des gyrophares devant le domicile de Mme Sharpe. Pour être en sécurité, elle l'est. Un soupçon effleure son esprit. Aurait-elle monté un coup pour obtenir cette protection? Cela ne le surprendrait pas de sa part. En même temps, malgré l'assassinat de son mari, c'est difficile de l'imaginer aussi apeurée après tant d'années. Et Mme Hussey? Qu'est-ce qui lui arrive? Les pièces ne s'emboîtent pas.

Un peu plus loin dans la rue, la tête obsédée par les mêmes pensées, Petra fixe le plafond de sa chambre, également balayé de lumières bleutées.

Plusieurs questions la tourmentent : cette missive envolée sur l'avenue Harper était-elle une des trois lettres originales du voleur? Mme Sharpe est-elle véritablement une victime? Et Mme Hussey dans tout cela?

C'est affreusement obscur. Plus Petra y pense, moins elle comprend.

CHAPITRE QUINZE
Meurtre et chocolat chaud

Une grande effervescence règne le lendemain matin à l'École de l'Université. Non seulement Mme Hussey n'est pas là, mais la presse se fait l'écho de rumeurs d'arrestation la concernant. Elle serait soupçonnée de complicité dans le vol du tableau. La classe est intenable et le remplaçant passe la matinée à faire taire les cris et les accusations.

— Mme Hussey, suspecte! Elle n'aiderait jamais un criminel!

— Comment le sais-tu? On l'y a peut-être obligée. Souviens-toi de sa blessure au bras.

— Elle aurait appelé la police aussitôt. Je la connais.

— On la connaît tous, idiot. Ça n'aide pas à comprendre ce qui se passe.

— Quelqu'un ici a dû appeler la police hier soir.

— Certainement pas!

— Celui qui a fait ça est fini!

— Ouais, enterré!

Même après s'être calmés, les élèves de sixième année continuent à se lancer des œillades assassines et à se soupçonner mutuellement.

Il y a un traître parmi eux, cela ne fait pas l'ombre d'un doute. Le remplaçant distribue des feuilles d'exercices pour occuper la classe.

À la cafétéria, Petra et Calder s'assoient l'un à côté de

l'autre, comme d'habitude.

— J'ai bien peur que cette lettre que j'ai ramassée dans ton jardin soit celle que le voleur avait adressée à la prof. Si c'est le cas, elle n'a plus la preuve qu'elle faisait partie de ces trois personnes et on ne me croira jamais si je dis que je l'ai trouvée et perdue ensuite.

Tout en parlant, Petra promène son sandwich au fromage fondant dans son assiette, d'une main distraite.

Avant que Calder puisse répondre, Denise se penche sur eux.

— Tu as des infos, Petra? Quelque chose qui intéresserait la police? Finis les secrets! Quelle idée d'aller traîner dans le jardin de Calder!

Petra se lève et prend son plateau, tellement exaspérée qu'elle heurte le coude de Denise sans le vouloir. Celle-ci laisse échapper sa crème au caramel, qui glisse le long de sa jambe. Mettant le pied dessus, elle perd l'équilibre et s'écroule lamentablement sur le remplaçant, assis tout près. Petra ne peut réprimer un sourire et des rires fusent des tables voisines. Denise explique au remplaçant que c'est Petra qui l'a poussée.

Calder et plusieurs enfants se retournent alors contre elle et se mettent à hurler.

— Je vous hais tous! s'égosille Denise, rouge comme une tomate.

Du coup, tout le monde est retenu en classe pendant la récré pour indiscipline.

C'est une journée exécrable.

XXX Le quartier de Hyde Park continue à faire la une des journaux. Le *Chicago Tribune* présente, en première page de son édition du lendemain, des photos de Mme Sharpe et de Mme Hussey. Il rapporte aussi deux nouvelles : Mme Hussey a été libérée, et elle a reçu la même lettre que Mme Sharpe. La jeune femme a fait une déclaration expliquant que ce courrier l'avait terrifiée et paralysée, exactement comme Mme Sharpe. Toutes deux bénéficient désormais d'une protection policière permanente.

Beaucoup de questions demeurent sans réponse. Pourquoi un malfaiteur professionnel réclamerait-il de l'aide auprès d'une vieille dame et d'une maîtresse d'école? Pourquoi la première lettre n'a-t-elle pas été suivie d'une autre? Et qui était le destinataire de la troisième?

Un reporter a découvert quelque chose qui confirme ce que disait le père de Calder : Louise Sharpe est la veuve de Leland Sharpe, historien d'art spécialiste de Vermeer, mort à Amsterdam trente et un ans plus tôt. Juste avant son assassinat, il avait écrit à sa femme qu'il venait de faire une découverte sensationnelle sur l'œuvre du peintre néerlandais.

L'éventualité d'un lien entre les deux faits change évidemment beaucoup de choses. Il se peut très bien que Mme Sharpe ait de quoi s'inquiéter. Petra et Calder doivent reconnaître qu'elle pourrait être innocente. En partie, du moins. Les choses ne sont jamais simples avec elle.

XXX — Madame Hussey!

Lorsque la prof revient le lendemain, la classe entière lui fait la fête. Tout le monde se bouscule autour d'elle, lui marche sur les pieds, l'embrasse et la bombarde de questions.

— C'était comment, la prison?

— Vous avez vraiment eu peur?

— Pourquoi est-ce que vous ne nous avez pas dit que c'était votre lettre?

— On se faisait tellement de souci pour vous!

Malgré leur curiosité, l'enseignante se refuse à parler de son arrestation et de cette lettre. Elle a l'air contente d'être revenue, mais elle est très nerveuse. Elle sursaute chaque fois qu'un élève laisse tomber un livre ou heurte un pupitre. Elle jette sans cesse des regards inquiets vers le couloir, comme si elle craignait que le policier en faction soit parti.

Elle décroche toutes les affiches de Vermeer et toutes les coupures de presse. Du coup, la classe paraît lugubre avec ses murs nus. Ensuite, elle demande aux élèves ce qu'ils souhaitent étudier, mais leurs réponses, qu'elle écoute distraitement, ne semblent pas l'intéresser. Petra songe à parler de la recherche de Charles Fort, mais, visiblement, ce n'est pas le moment.

Le lendemain, au cours de sciences, Petra s'aperçoit qu'elle a oublié un livre dans la classe où ils étaient la veille et court le chercher. Elle tombe alors sur Mme Hussey, tournant le dos à la porte entrouverte, en train de téléphoner sur son cellulaire.

Petra fait deux pas, s'immobilise et surprend des bribes de conversation : « ... erreur... mais pourquoi... mais elle est là...

je ne peux pas faire ça!... » Sur quoi, l'enseignante se met à sangloter. Petra s'éclipse sans bruit, craignant d'être surprise en flagrant délit d'indiscrétion.

La jeune fille se sent prise d'une vague d'indignation et d'apitoiement. Leur enseignante est si gentille! Qu'est-ce qui peut bien la tourmenter comme ça? Ou qui? Et puis sont-elles aussi bien protégées que ça, elle et Mme Sharpe?

Petra n'en est pas si sûre. Il y a quelque chose de vraiment dramatique dans la vie de la pauvre Mme Hussey.

XXX — Tu viens, Calder? fait Petra après l'école. Tâchons de trouver un coin où l'on ne va jamais, quelque part sur le campus. La salle Fargo, peut-être? J'ai de l'argent pour deux chocolats chauds.

Elle l'entraîne en marchant à grandes enjambées, son chapeau enfoncé jusqu'aux oreilles, le halo frisé de ses cheveux noirs dépassant tout autour.

— Tu te souviens de ce que disait Mme Sharpe à propos des gens qui ne regardent pas assez autour d'eux?

— Bien sûr, répond Calder.

— Alors je crois qu'on devrait faire attention, voilà.

— Qu'est-ce qui se passe? demande Calder, intrigué. Il y a du nouveau?

— Je te le dirai aussitôt qu'on sera là-bas.

Les voilà sur l'avenue University, avançant d'un pas égal dans la lumière pâle de l'après-midi. Situé à deux rues de l'école, le bâtiment néogothique de la salle Fargo, vieux de plus

d'un siècle, s'orne de gargouilles et de modillons à têtes grimaçantes. Les branches enchevêtrées d'une vigne vierge ayant perdu ses feuilles se cramponnent sur la façade.

Une bouffée de chaleur et un agréable brouhaha estudiantin les accueillent dès qu'ils poussent la lourde porte. Petra achète deux chocolats chauds à la crème fouettée et les emporte dans une salle qui fait penser à un salon géant. Il y a un âtre où brûle un bon feu de bois et des étudiants installés dans des fauteuils un peu partout, en train de lire ou de bavarder.

Ils s'installent dans deux sièges en cuir, dans un coin.

— Voilà à quoi je pensais, commence Petra. Toi et moi, nous savons des choses que personne ne sait. Ce sont toutes les coïncidences qui nous ont guidés depuis le début, les éventuelles cachettes chez Mme Sharpe, et la possibilité que la peinture soit dissimulée dans ou derrière quelque chose en vieux bois précieux.

— C'est-à-dire n'importe où, remarque Calder en montrant les lambris de la salle.

— Je crois qu'il faut qu'on mette les bouchées doubles et qu'on commence activement la recherche.

Là-dessus, Petra raconte à Calder la conversation qu'elle a surprise dans leur classe.

— Je me demande si Mme Hussey n'est pas vraiment en grand danger. On n'a peut-être pas beaucoup de temps devant nous.

Calder pose sa tasse et commence à tripoter ses

pentominos avec excitation.

— Chut! fait Petra, sentant qu'on les observe du fond d'un grand fauteuil noir à l'autre bout de la salle.

Calder sort une pièce.

— Le U, annonce-t-il. U comme Urgence... non, peut-être, comme Urne... La toile est peut-être cachée dans un vase.

— Bon, quel autre indice avons-nous? demande Petra.

— Le coup de fil de la prof. Qu'est-ce qu'elle disait?

— Elle disait que quelque chose ou quelqu'un était là. « Elle est là... »; c'est surtout ça que j'ai retenu.

— Là! répète Calder. Mais où, là? Bon, imaginons que Mme Hussey, aventureuse comme elle est et voulant défendre l'œuvre d'un grand artiste, ait bel et bien aidé le voleur. Ou autre chose, tiens : supposons qu'elle et Mme Sharpe opèrent ensemble. Elles se connaissent, après tout. Mettons que la prof ait caché le tableau et que Mme Sharpe sache où elle l'a mis. Elles auraient choisi un lieu qu'elles connaissaient toutes les deux. Qu'est-ce qui serait logique comme endroit?

— Et si c'était U comme l'U, notre école! Quel endroit génial pour cacher quelque chose! Parmi des centaines d'enfants!

Calder opine et enfonce le U sur l'accoudoir de son siège.

— Super! Et maintenant, imagine que nous trouvions la peinture et que personne ne sache jamais que Mme Hussey était impliquée. Personne, sauf toi et moi. On ferait un triple sauvetage d'un seul coup : la toile, Mme Hussey et Mme Sharpe.

— Et la troisième personne? Celle qui a reçu la dernière lettre?

Petra jette un œil vers l'autre extrémité de la salle et constate que l'occupant du grand fauteuil noir s'est éclipsé.

— La pièce manquante du casse-tête. Celle qui surgit au moment où personne ne l'attend.

Calder remet le U dans sa poche.

Tous deux s'efforcent de ne pas paraître trop excités. Sur le chemin du retour, Calder rappelle à Petra que Charles Fort avait dénombré deux cent quatre-vingt quatorze averses de choses vivantes, sans savoir pourquoi.

CHAPITRE SEIZE
Matinée dans l'obscurité

XXX L'École de l'université est bâtie autour d'un terre-plein central rectangulaire. Gracie Hall, l'école primaire, date de 1903. C'est là que John Dewey prodiguait son enseignement révolutionnaire. L'aile ouest est constituée par King Hall, qui a été construit près de trente ans plus tard pour le département des sciences de l'éducation de l'université de Chicago, l'idée étant bien sûr d'observer sur place le fameux laboratoire pédagogique du fondateur. Un nouveau bâtiment pour le premier cycle du secondaire, édifié en 1990, se dresse sur le côté est, tandis que celui du deuxième cycle, construit en 1960, occupe la façade nord. Derrière, Poppyfield Hall, qui remonte à 1904, abrite des salles de musique et d'expression artistique.

Le lendemain matin, Calder et Petra sont assis sur un banc dans le foyer de Gracie Hall. Ils sont installés devant une cheminée sur laquelle trône un buste de Francis Parker, un collègue de John Dewey, coiffé d'une casquette de baseball, une écharpe rouge autour du cou.

— C'est une toute petite toile, rappelle-toi. Un peu plus de trente centimètres sur quarante-cinq.

Calder manie ses éternels pentominos.

— Réfléchissons un peu. Des centaines d'enfants et d'adultes vont et viennent dans cet endroit toute la journée. La nuit, il y a des équipes de nettoyage. Quel est l'endroit que personne ne toucherait?

Calder tire un pentomino de sa poche, ouvre la main et regarde.

— T comme Trente, annonce-t-il. Il n'y a pas trente étages, ici, que je sache. Humm... je ne comprends pas.

Petra se redresse sur sa chaise et se concentre, les mains sur ses genoux.

— Essayons de nous mettre à la place de Mme Hussey. Elle n'irait pas trouver un endroit avec des fuites d'eau, des rats, des choses comme ça...

Calder frotte le bord du banc avec son T.

— Trente... Est-ce que la prof possède quelque chose en trente exemplaires?

— Elle porte toutes sortes de boucles d'oreilles. En forme de clé, de perle, de chaussure à talon.

— Clé-perle-chaussure... marmonne Calder. Chaussure à talon... chaussure à talon haut... chaussure à haut talon...

— Hé! ça ressemble à « j'suis sûre qu'elle est à l'ombre », ce que tu viens de dire! s'esclaffe Petra. Je deviens comme toi, à force de t'entendre combiner des mots. Ça veut peut-être dire qu'elle est ici, cette toile. À l'ombre de Gracie Hall!

— Excellente déduction! approuve Calder et, dans son enthousiasme, il la serre dans ses bras.

Petra redresse ses lunettes, essayant de cacher son plaisir.

Ils décident d'agir comme si on leur avait demandé de dresser un plan de l'établissement. Bonne excuse pour explorer les lieux pendant la pause de midi. Personne ne pourra deviner qu'il ne s'agit pas d'un vrai exercice, à part les élèves de leur classe.

Un peu plus tard, armés d'un ruban à mesurer, de planchettes à pince et de crayons, ils arpentent tout le rez-de-chaussée, en quête d'une cachette sortant de l'ordinaire. Ils fouillent les armoires de rangement, regardent derrière les classeurs et sous les lits de l'infirmerie, inspectent les vieux distributeurs de papier dans les toilettes, les portemanteaux de la salle du conseil, les chapeaux et les mitaines au dépôt des objets trouvés.

Le deuxième jour, ils s'attaquent au deuxième étage, difficile à prospecter en totalité. La plupart des salles de classe ont des placards encastrés construits il y a des lustres, ainsi que d'innombrables tiroirs et étagères qu'il s'avère délicat d'ouvrir sous prétexte de prendre des mesures. Petra se fait mordre par un hamster dans la salle de sciences et Calder libère accidentellement une troupe de coquerelles, qui s'enfuient par une bouche d'aération. Un bloc de calcaire utilisé par les jeunes géologues de quatrième année écrase l'orteil de Petra, et Calder s'attire les foudres d'un enseignant de troisième année en essayant de fureter derrière son tableau d'affichage et en renversant des dessins du grand incendie de Chicago.

Ils ont maintenant exploré tout le bâtiment de Gracie Hall, sauf le sous-sol, fermé à clé. Ils conviennent alors de demander à la directrice de l'établissement, Mme Trek, l'autorisation d'y entrer. Toujours enthousiaste à l'égard des projets d'élèves, cette femme devrait être facile à convaincre.

Ils lui font donc part de leur exercice topographique, et elle accepte de les emmener en bas, le lundi suivant.

— Ce n'est pas ce qu'on voulait! grogne Calder en cherchant son livre de mathématiques dans son casier.

Il ne sait pas que Petra s'est éloignée.

— Tu parles tout seul, maintenant? fait une voix derrière lui. Ta petite amie s'est envolée?

C'est Denise.

Calder se sent rougir et referme son casier d'un geste rageur. On devrait la cacher aussi, celle-là. Et pour toujours.

XXX Le lundi matin, comme convenu, les deux amis retrouvent Mme Trek. Tous deux la regardent se battre avec la serrure et les verrous du sous-sol en se rappelant leur visite d'autrefois, une tradition dans cette école, à laquelle tous les nouveaux arrivants ont droit à la maternelle.

Ils ont oublié à quel point cet endroit est étrange. Les murs sont en grosse pierre mal dégrossie, le sol monte et descend. De toute évidence, l'angle droit n'a plus cours dans les sous-sols. Il y a des monceaux de tapis enroulés, des bancs brisés, un méli-mélo de tuyauteries, des vieux pupitres empilés tête-bêche et même une baignoire à pattes de lion, le tout drapé de toiles d'araignées. Mme Trek vient juste d'ouvrir le local des fournitures quand son cellulaire se met à sonner : un parent d'élève souhaite lui parler dans son bureau.

— Ah, flûte! Je peux vous abandonner quelques minutes? Je reviens tout de suite.

Dès qu'elle est partie, Calder et Petra poussent la porte de la réserve. Calder s'avance bravement dans l'obscurité et tâtonne à la recherche d'un interrupteur. Rien sur le mur le plus proche. Il fait quelques pas et tombe sur une cordelette qu'il tire.

La lumière se fait et des étagères apparaissent, couvertes de papier de bricolage, de boîtes de crayons et de règles. Les enseignants ont la possibilité de descendre ici chercher des fournitures. Les deux enfants pensent aussitôt à Mme Hussey. Une cachette idéale.

Sans perdre de temps en bavardages, ils passent leurs mains le long des étagères, regardent derrière les boîtes, essaient de soulever des caisses. Plusieurs vieux cadres de tableaux sont appuyés contre un mur. Derrière, ils découvrent un petit paquet soigneusement enveloppé de papier brun, moins poussiéreux que le reste des emballages. La chose a les bonnes dimensions, sûr et certain.

Ils entendent des pas dans l'escalier, puis la voix de Mme Trek qui les appelle. Lorsque la directrice arrive dans la réserve, Petra est seule.

XXX Petra explique à Mme Trek que Calder a eu besoin d'aller aux toilettes et qu'il est remonté. Elle lui demande s'ils pourront revenir en milieu de matinée.

— J'ai peur de ne pas pouvoir me libérer avant demain, répond Mme Trek avec un sourire en refermant à clé la lourde porte métallique. Vous pourrez attendre jusque-là ?

— Bien sûr, répond Petra, réfléchissant rapidement à ce qu'elle va faire.

Dès son arrivée en classe, elle annonce à Mme Hussey que Calder a dû s'absenter à cause d'un rendez-vous chez le dentiste. Tassée au fond de sa chaise et morte d'inquiétude, elle s'efforce, en vain, de suivre le cours. À plusieurs reprises, elle demande la permission d'aller aux toilettes, fonce jusqu'à la porte du sous-sol et frappe légèrement. Aucune réponse.

Calder reste accroupi pendant des heures et des heures, semble-t-il. Il n'a jamais vu d'endroit aussi sombre. On dirait qu'il n'y a aucune fenêtre dans ce sous-sol. À un moment, il entend comme une ribambelle de petits pas précipités et pense aux souris qui doivent grouiller dans ces caves, comme dans toutes les vieilles maisons de Hyde Park. Il pense aussi aux coquerelles qu'il a vues disparaître dans une bouche d'aération et finit par se lever.

Il fait deux pas, puis quatre, tenant précieusement la peinture dans ses bras. Et s'il y avait un monstre vivant dans ce sous-sol? Quelqu'un qui aurait réussi à se glisser dans l'école sans se faire voir du concierge?

Calder monte l'escalier en chantonnant d'une voix cassée, tâtant du pied chaque marche. Il essaie d'ouvrir la porte du rez-de-chaussée. La poignée tourne, mais un verrou bloque l'ouverture. Il redescend en faisant le moins de bruit possible et sans toucher les murs. Avec un peu de chance, peut-être que quelqu'un viendra chercher des crayons et laissera la porte ouverte assez longtemps pour qu'il puisse s'échapper.

Il se rappelle qu'il a probablement en main l'un des plus grands trésors de l'histoire de l'art. Que représentent quelques heures de sa vie à côté de toutes les aventures vécues depuis trois cents ans par la *Jeune Femme écrivant une lettre*? Et puis, lui et Petra vont être célèbres, maintenant. On va les interviewer à la télé, dans le *Chicago Tribune*...

À force d'arpenter le local, il finit par trouver une chaise et s'y assoit avec précaution. Cesse de rêver, se dit-il. Beaucoup de choses peuvent arriver avant que la toile soit en sûreté. Encore faut-il qu'il s'agisse du Vermeer.

Pour s'occuper, il assemble mentalement quelques casse-tête. Il en fait d'abord trois différents de douze pièces. Puis il tente d'écrire à Tommy, mais sans le code, c'est trop dur.

C'est tellement sombre et silencieux là-dedans qu'il n'y a plus qu'à fermer les yeux.

XXX Dès que le cours est fini, Petra se précipite dans le bureau de la directrice.

— Mme Trek n'est pas là, ma chouette, annonce la secrétaire d'un air mécontent. Elle est absente pour le restant de la journée.

Petra ne se laisse pas démonter.

— Heu, aujourd'hui, Calder et moi sommes censés finir de mesurer le sous-sol. Est-ce que quelqu'un d'autre pourrait nous ouvrir?

— Les enfants n'ont pas le droit de descendre là tout seuls, tu le sais bien.

— Mais Mme Trek nous a autorisés à finir notre exercice!
Juste pour une fois, elle faisait une exception. Oh, s'il vous
plaît! En plus, on est en sixième année.

La secrétaire regarde Petra et soupire.

— Bon, d'accord. Attends que j'aille me chercher quelque
chose à manger.

Une fois la secrétaire partie, Petra examine attentivement
son bureau. Il y a des chances que les clés soient dans le tiroir.
Pourrait-elle s'en emparer et filer délivrer Calder? Si la
secrétaire l'accompagne en bas, elle va s'apercevoir que Calder
y a passé la matinée. Il vaut encore mieux être puni pour avoir
pris les clés.

Petra contourne prestement le bureau et ouvre le tiroir.
Effectivement, il y a un gros trousseau dedans. Elle l'empoche
et court vers l'entrée du sous-sol en tâchant de ne pas se faire
remarquer.

À côté de la porte se trouve un téléphone public. Elle fait
semblant de passer un coup de fil en attendant qu'il n'y ait plus
personne en vue. De ses mains moites et tremblantes, elle
essaie une première clé... non. Une autre... non plus.
Quelqu'un s'approche. Petra reprend le combiné, le cœur
battant. Va-t-elle se faire prendre? Non, la personne passe sans
s'arrêter.

La troisième clé est la bonne. Petra pousse la porte du
sous-sol, allume la lumière et se glisse à l'intérieur.

XXX — Calder! chuchote Petra au pied de l'escalier.

Pas de réponse. Le silence est assourdissant. Pourquoi ne l'entend-il pas? Les yeux de Petra finissent pas s'accoutumer à l'obscurité et, bientôt, elle distingue une petite silhouette affaissée sur une chaise, un paquet serré dans les bras. Sa première pensée est que Calder est mort de frayeur.

Elle se précipite et le secoue doucement.

Il se redresse en un sursaut.

— Oh, Petra! J'ai droit à au moins une tonne de p'tits bleus pour être resté si longtemps enfermé là-dedans.

— Je suis contente de voir que tu vas bien, mais dépêchons-nous, Calder! J'ai été obligée de voler les clés. Vite!

Ils remontent les marches quatre à quatre. Un coup d'œil derrière le battant et les voilà dans le couloir. Ils claquent derrière eux la porte du sous-sol, Petra prend un manteau dans la boîte de dépôt des objets trouvés et enveloppe le tableau dedans, juste au moment où la secrétaire survient avec son dîner.

— Salut, vous deux. Je reviens dans un instant vous accompagner en bas. Vous n'en avez pas pour longtemps, j'espère?

Ils secouent la tête sans mot dire.

Dès qu'ils la voient repartir vers son bureau, Petra adresse un regard désespéré à Calder.

— Qu'est-ce qu'on fait des clés, maintenant?

— Laisse-les sur la serrure de la porte du sous-sol. Elle croira que c'est Mme Trek qui les a oubliées.

XXX Les deux enfants sont si nerveux qu'ils n'échangent pas un mot en rentrant de l'école. Ils montent les marches de la maison de Calder en courant et se ruent dans sa chambre. La fermeture éclair du sac à dos de Calder a mordu le tissu du manteau. Elle est coincée.

— Ah, non!

Calder s'empare d'une paire de ciseaux et découpe le sac à dos.

Ils ôtent le ruban adhésif qui ligote le paquet et découvrent le cadre, puis le derrière d'un tableau, qu'ils retournent...

Une femme à tête piriforme et chignon vert est assise à une table, en train d'écrire. Une de ses oreilles est ornée d'un pendentif qui ressemble à une balle de ping-pong. Derrière elle, on distingue une lune orange et un château qui a l'air d'avoir fondu au soleil. Le tableau a dû être exécuté par un élève de deuxième année, un élève qui, aujourd'hui, doit être grand-père.

Ce n'est pas la dame qu'ils cherchaient.

CHAPITRE DIX-SEPT
Que faire?

XXX Le lendemain, Calder, enrhumé, étant resté chez lui, Petra rentre seule à la maison.

On est à présent au début du mois de décembre, la terre est gelée et des bourrasques emportent des tourbillons de feuilles mortes. Traînant les pieds sur le trottoir, Petra songe à Charles Fort. Il ne serait pas découragé, lui. Il garderait les yeux grands ouverts. Ce morceau de papier quadrillé qui traîne, par exemple. Voyons :

Huile de maïs

Beurre

Thé en sachets

Oignons

Raisins verts

Bacon

Petra enfouit le papier dans sa poche en se demandant si cette combinaison hasardeuse de mots peut être considérée comme de la poésie. Fort aurait-il vu dans cette liste de commissions un schéma intéressant ou des clés pour déchiffrer l'univers?

Tiens, voilà un sujet qu'ils pourraient aborder un jour avec Mme Hussey : les idées qui peuvent surgir d'une association imprévue de mots ou de sons. Pourquoi certains mots

paraissent-ils plus élégants, plus attrayants que d'autres? Pourquoi « cacahuète » et « gélatine » rendent-ils un son tellement moins distingué que « caviar »? Pourquoi le mot « oignon » se suffit-il merveilleusement à lui-même, tandis que « sachet de thé » a l'air si balourd? Pourquoi un mot comme « grenouille » évoque-t-il irrésistiblement l'élément liquide, alors que « crapaud » n'évoque rien du tout?

Inspirée par cette idée, Petra remarque un autre petit bout de papier dépassant d'un buisson épineux, près de la maison de Mme Sharpe. Il est plié en quatre et ne semble pas dater d'aujourd'hui.

Elle le déplie avec précaution et lit :

Cher ami, Chère amie,
J'ai besoin de votre aide pour résoudre une affaire vieille de plusieurs siècles...

XXX Petra court jusque chez Calder.

— Est-ce que quelqu'un t'a vue le ramasser? demande Calder.

— J'ai regardé autour de moi et je n'ai vu qu'une personne qui traversait la rue.

Calder se mouche énergiquement.

— Penses-tu que c'est la même lettre que celle qui s'était envolée avant que tu finisses de la lire?

— Ce serait vraiment extraordinaire. Il y a peut-être une quatrième lettre?

Calder prend ses pentominos.

— Ça fait froid dans le dos de penser que quelqu'un a pu glisser cette lettre intentionnellement dans la haie de Mme Sharpe.

— Est-ce qu'on en parle à la police? Peut-être pas... on ne pourrait plus faire nos recherches tranquillement.

— Je suis d'accord. N'empêche qu'on ferait mieux de ne pas se balader seuls dans les environs. Je n'ai pas envie de finir comme le voisin de Tommy.

Ils replient la lettre et la glissent dans un sac à sandwich qu'ils rangent dans la boîte au Géographe. Puis ils mangent chacun un p'tit bleu.

Calder tient un de ses pentominos.

— P comme Prière, dit-il en grimaçant.

— Ou comme Piège, suggère Petra avec une mine sinistre.

— Peut-être qu'il faudrait prier qu'on ne soit pas pris au piège.

XXX Le lendemain, il y a du nouveau. À la devanture des librairies est apparu un livre intitulé *Le Dilemme Vermeer : que faire?* Il s'agit d'un livre d'art, sauf qu'il est vendu au prix dérisoire d'un dollar cinquante, moins qu'un Big Mac. Un donateur anonyme a fait un geste destiné à « rendre ce volume accessible à toute personne intéressée par Vermeer dans un contexte difficile ». Écrit par un historien d'art réputé, le livre comporte d'excellentes illustrations en couleurs de toutes les toiles attribuées au peintre.

Des milliers d'exemplaires se vendent dès le premier jour aux États-Unis, ainsi que dans divers pays du monde.

Sans excuser le vol, qualifié d'« épouvantable », le livre traite de toutes ses retombées positives. Les gens regardent des œuvres d'art et parlent de peinture comme jamais auparavant. Ils s'extasient sur les meubles représentés par le Néerlandais, sur les carrelages, les vitraux, le drapé des jupes en satin. Ils comparent certains détails, comme la lumière sur l'ongle ou le poignet d'un personnage, l'aspect d'une anse de panier ou d'une boucle de cheveux. Ils examinent ses tableaux avec une attention, une intensité que l'on croyait réservées aux amateurs d'automobiles ou de matériel électronique. Les musées ne désemplissent pas, et l'on voit couramment des admirateurs regroupés devant un Vermeer, en train de discuter passionnément de sa technique et de son style.

Pour la première fois, un public « non initié » s'estime en droit de discuter d'une œuvre d'art, d'exprimer une opinion susceptible d'influer sur le cours des choses. Pour la première fois, de nombreuses personnes apprennent à quel point le monde de l'histoire et de la critique d'art peut être obscur et versatile. Quand un artiste ne laisse aucun document après sa mort, qui peut être sûr, au bout de plusieurs siècles, que des imitateurs ou des faussaires ne se sont pas servis de son nom pour s'enrichir? Et naturellement, la perspective de corriger une erreur historique et de dénoncer, par la même occasion, la sottise des experts et des universitaires exerce un attrait irrésistible.

Même les enfants se mettent à réfléchir à Vermeer. Ils font des rédactions sur lui, se déplacent dans les musées, comparent son œuvre avec celle d'autres maîtres de la même époque. Beaucoup découvrent avec ravissement le monde merveilleux révélé par la peinture d'autrefois. Ils prennent aussi conscience de certains mystères que les adultes ne savent pas toujours interpréter dans ces tableaux anciens.

L'auteur affirme que ce tumulte a aussi un impact favorable sur les historiens d'art et les conservateurs de musée. L'affaire les oblige à remettre en question des notions acceptées depuis des décennies, à s'interroger sur ce qu'ils ont appris. Le voleur aurait-il raison? Le public aussi? Pourquoi donc les Vermeer dits précoces ou tardifs n'ont-ils pas la même vibration lumineuse que les autres?

La conclusion de l'ouvrage est que, si ce vol n'est en rien excusable, il a pour conséquence de changer du tout au tout la relation du public avec Vermeer, ainsi qu'avec d'autres grands noms de la peinture. Des milliers de gens dans le monde se sentent plus à l'aise que jamais avec l'art. En somme, ce vol est une bénédiction.

La dernière page comporte un message à l'intention du malfaiteur. Que les responsables des musées se décident ou non à modifier les étiquettes murales sous les tableaux de cet artiste, la réaction du public a permis de mettre en lumière des possibilités de fraude, ce qui est en soi excellent. Tout le monde est désormais très attentif. Les musées doivent maintenant répondre aux espérances du public, et l'auteur estime que ce n'est plus qu'une question de temps. En attendant, le tableau doit être restitué. Le voleur a tout lieu de considérer que sa mission est accomplie.

CHAPITRE DIX-HUIT
Une mauvaise chute

XXX Petra et Calder discutent du livre en se rendant à l'école le lendemain matin.

— C'est quand même fou, toutes ces questions que se posent les gens partout dans le monde, dit Petra, frappée par ce qu'elle a lu. C'est vrai que ça donne plutôt une bonne image du voleur.

— Sauf qu'il est peut-être moins moral qu'il en a l'air. Qui nous dit qu'on n'a pas affaire à un fou?

— Quelqu'un en parlait justement ce matin à la radio, dit Petra. Il me semble que s'il avait fait du mal à la femme qui m'est apparue en rêve, je l'aurais su d'une façon ou d'une autre, ajoute-t-elle pensivement.

Ils marchent un moment sans échanger un mot. Calder donne un coup de pied dans un banc de neige.

— Pas nécessairement... J'aurais préféré qu'elle te dise autre chose, du genre : au bout de cette rue, en haut de cet escalier, dans cette armoire.

Les deux enfants se mettent à rire. En tournant au coin de la rue, près de la maison de Mme Sharpe, stupeur! Une ambulance, tous feux allumés, est stationnée dans la rue. Mme Sharpe repose sur une civière à roulettes poussée par des ambulanciers sur l'allée du jardin. Seule sa tête, assez pâle, dépasse des couvertures. Deux policiers suivent la civière.

— Madame Sharpe! s'écrie Petra. Ça va?

— Qu'est-ce qui s'est passé? demande Calder.

La vieille femme tourne la tête en entendant leurs voix.

— Ah, c'est vous! Tant mieux. Fermez la bouche avant de vous geler la langue.

Elle essaie de sortir une main de dessous les couvertures.

— Arrêtez de pousser! Je connais ces enfants. Laissez-moi leur parler.

C'est dit d'un ton si autoritaire que les deux hommes s'exécutent aussitôt.

— J'ai glissé et je me suis cassé la jambe, voilà. C'est très bête de ma part, je dois dire. Je ne m'étais jamais rien cassé. Je m'apprêtais à poster cette lettre. Je suppose qu'ils pourraient s'en charger à l'hôpital, mais j'aime autant vous la confier.

— Bien sûr, pas de problème, dit Calder en s'approchant, la main tendue.

Au moment où Mme Sharpe la lui remet, il a l'impression d'être transpercé par son regard.

— N'oublie pas de la poster, mon garçon, et ne la perds pas, surtout, dit-elle en fixant des yeux le gros ruban adhésif en toile avec lequel il a réparé son sac à dos. Vous pourrez venir me voir à l'hôpital, si ça vous dit. D'ici là, ils m'auront sûrement installée dans une chambre affreuse.

— Ne vous inquiétez pas, madame Sharpe répond Petra. On mettra votre lettre à la boîte, sans faute. Vous voulez qu'on vous apporte des livres ou quelque chose?

— Non, non... Oh, cette fichue jambe, ce qu'elle me fait mal! Quelle bêtise de ma part!

Sur quoi, elle retombe sur sa civière.

— Vous êtes prête, madame Sharpe? lui demande poliment un des ambulanciers.

— Bien sûr. Est-ce que j'ai l'air de vouloir prendre un bain de soleil?

Le vent glacé emporte ses derniers mots tandis qu'on la charge dans l'ambulance, qui démarre bientôt sous les yeux des enfants.

— Pauvre elle, s'apitoie Petra. On n'est pas près d'aller reprendre le thé chez elle.

—Je me demande à qui est adressée cette lettre, dit Calder en la ressortant de son sac à dos.

Sur l'enveloppe sont inscrits, soigneusement calligraphiés, le nom et l'adresse de Mme Isabel Hussey.

XXX À l'école, ils placent la lettre devant une puissante lumière pour essayer de voir à travers. Impossible. Bien que liés par la promesse faite à Mme Sharpe, ils sont tentés de la remettre directement à leur enseignante. Avec laquelle des deux femmes doivent-ils se montrer loyaux? Pas évident, d'autant plus que les conséquences sont imprévisibles dans les deux cas.

Il a neigé pendant la journée. Après l'école, les deux enfants se rendent à la poste du campus en s'enfonçant dans la couche blanche.

— On pourrait l'ouvrir à la vapeur, propose Calder.

— On a peut-être tort de la soupçonner, tu sais. Peut-être

qu'elle lui dit tout simplement qu'elle compatit à ses problèmes.

— Dis donc, et si on l'ouvrait carrément? Il suffirait de la remettre dans une autre enveloppe et de réécrire l'adresse.

Cette idée les excite tellement qu'ils s'arrêtent et se tapent dans la main. Mais soudain, Petra se rembrunit.

— Tu ne crois tout de même pas qu'on joue un double jeu? Je veux dire, elle nous invite à prendre le thé, on est gentils avec elle, et voilà qu'on veut la trahir. Est-ce qu'on aimerait ça, nous, si une personne de confiance lisait notre courrier? C'est comme ça qu'on devient criminel. On commence par une petite faute, puis on en commet de plus en plus grosses.

— Ah, mais on va la poster après, comme on l'a promis! C'est un cas d'urgence, n'oublie pas. On est en mission. Il s'agit de secourir Mme Hussey, le tableau et Mme Sharpe. Et nous aussi, car maintenant qu'on détient la troisième lettre, il se pourrait qu'on soit en danger.

— Donc, c'est pour protéger tout le monde.

— Oui. On fait juste un travail utile de détective.

Ils sont entrés au bureau de poste et se tiennent devant la fente de la boîte aux lettres.

— On n'a qu'à acheter une autre enveloppe ici et la réadresser tout de suite après.

Calder est déjà en train de chercher de la monnaie dans sa poche.

Petra est nettement plus hésitante.

— Et si elle découvre ce qu'on a fait? Ou si Mme Hussey

reconnaît notre écriture?

— Mais non! Qu'est-ce que tu vas chercher? On lit la lettre, on la scelle et on la poste aussitôt. Mme Sharpe ne le saura jamais et je suis sûr que la prof va jeter l'enveloppe.

Juste à ce moment, quelqu'un bouscule Calder et la lettre lui échappe. Le jeune garçon se penche pour la rattraper, mais le sac à dos qu'il a sur l'épaule glisse de côté, heurte Petra et les déséquilibre tous les deux. La lettre se trouve maintenant sous la botte d'un homme!

— Ach! Dézolé! Za part au courrier, za aussi?

Et, avant qu'ils aient pu répondre, une grosse main rougeaude ramasse la lettre et la jette dans la boîte avec d'autres enveloppes.

— Oh non, ce n'est pas possible! se désole Calder.

Petra lui adresse un léger sourire.

— J'ai comme l'impression qu'on vient d'échapper à une carrière de criminels.

XXX À leur arrivée à l'hôpital, ils trouvent Mme Sharpe allongée dans un lit, la jambe emmaillotée dans un gros bandage.

Elle appuie sur un bouton pour redresser la tête du lit et leur montre deux grosses sucettes au chocolat posées sur la table de chevet.

— Je ne peux pas vous offrir de thé, mais servez-vous. C'est tout ce que j'ai pu obtenir. Je tiens à vous remercier d'avoir posté ma lettre.

Tous trois restent silencieux quelques instants.

— Vous devez vous demander de quoi elle parlait.

Calder baisse les yeux et Petra avale sa salive bruyamment.

Mme Sharpe les dévisage en plissant les paupières.

— Vous me cachez quelque chose, les enfants. Vous avez bien posté la lettre, j'espère?

Calder se jette à l'eau, décidé à jouer franc jeu :

— Eh bien, heu... on a remarqué que la lettre était adressée à Mme Hussey... C'est notre prof, voyez-vous... et comme on a suivi les messages du voleur dans le *Chicago Tribune*, je... enfin, Petra et moi, on essaie de retrouver le tableau... D'ailleurs, Petra a rêvé de la dame qui est sur cette peinture et... on... on voulait lire la lettre... juste par curiosité... pour voir si vous vous faisiez du souci pour notre prof...

— ARRÊTE! Avez-vous ouvert ma lettre? coupe-t-elle d'une voix à donner la chair de poule.

— N... non, balbutie Petra. C'était ma faute aussi. Comme vous connaissez Vermeer et que vous savez beaucoup de choses, on s'est dit que vous aviez peut-être des informations sur le voleur... une bonne idée, un indice. On se demandait pourquoi vous écriviez à notre prof. On avait l'intention d'ouvrir la lettre et de la poster après avoir changé l'enveloppe, mais finalement, on ne l'a pas fait. Je vous le jure. Je suis vraiment désolée, madame Sharpe. Je ne sais pas ce qui nous a pris.

En terminant cette explication, Petra est au bord des larmes.

Un long et pénible silence s'ensuit. Calder et Petra n'osent pas relever les yeux. Et puis soudain, une espèce de hoquet s'élève du lit. Mme Sharpe est en train de rire. De toute évidence, elle manque d'entraînement.

Les deux enfants la dévisagent, stupéfaits.

— Alors, vous n'êtes pas fâchée? se risque à lui demander Calder.

— Pas vraiment, dit la blessée en s'essuyant les yeux avec son mouchoir. Vous me rappelez tellement mon enfance, tous les deux! Dans ma vie, j'ai fait beaucoup de choses par curiosité et je l'ai rarement regretté. L'important est que vous vous soyez abstenus de commettre une faute. Une grosse faute, ajoute-t-elle plus sérieusement. Il ne faut jamais, absolument jamais, lire la correspondance d'autrui.

Elle les laisse mijoter quelques instants dans leur honte, puis reprend d'un ton bourru :

— Mon nom de jeune fille, Coffin, est originaire de l'île de Nantucket, dans le Massachusetts. J'ai lu dans les journaux que Mme Hussey venait de là-bas. Cette coïncidence m'a frappée et je lui ai écrit parce que je voulais partager cette découverte avec elle. Voilà. Maintenant, qu'est-ce que c'est que cette histoire de rêve?

Soulagée de voir que Mme Sharpe n'est pas furieuse, Petra se décide à tout lui dire. Elle raconte en détail le personnage du tableau qu'elle a vu en rêve et précise que personne ne le sait, sauf Calder. Par moments, explique-t-elle, la femme peinte par Vermeer semble vraiment lui parler directement.

Mme Sharpe l'écoute en la regardant avec attention. Ses yeux se rétrécissent au point d'être quasiment réduits à deux petites fentes.

— Oui, elle communique avec toi...

— Pardon? souffle Petra d'une voix presque inaudible.

— Eh bien, il y a pas mal de choses inexplicables dans la vie, voyez-vous. Des choses qui nous arrivent ou qui arrivent aux autres, et que nous sommes incapables d'expliquer rationnellement. Charles Fort le dit très bien. Ce qui m'intéresse, moi, c'est l'idée que ce que nous prenons pour un mensonge se révèle très souvent vrai, alors que ce que nous croyons être vrai est très souvent un mensonge.

Mme Sharpe s'exprime lentement à présent, les yeux baissés sur ses mains.

— Qui sait si l'art n'est pas une forme de vie? Voilà ce que vous aurait dit Charles Fort, probablement. Comment décider de ce qui est vivant et de ce qui ne l'est pas? Si des grenouilles tombent du ciel, pourquoi une peinture ne pourrait-elle pas communiquer?

Calder bondit de sa chaise.

— Petra! Tu te souviens de la phrase de Picasso citée par Mme Hussey : « L'art est un mensonge qui dit la vérité »?

— Assieds-toi, mon garçon, tu me donnes des fourmis dans la jambe.

L'intonation de Mme Sharpe lui fait l'effet d'une douche froide et Calder se rassoit docilement. La vieille femme arbore une expression impénétrable.

— La vérité... peut-être... Alors comme ça, vous deux, vous pensez réussir là où le FBI s'est cassé les dents?

— Eh bien, dans la vie, si on n'essaie rien, on n'obtient rien non plus. On est malins, vous savez.

Calder a sorti ses pentominos et commence à les disposer en rectangles sur la table de chevet.

— On ne vous a pas encore parlé de ça, dit-il.

— Ah, vous vous croyez malins? reprend Mme Sharpe en le regardant fixement. Qu'est-ce que c'est que ça, mon garçon? Un nouveau jeu?

— Ce sont des pentominos, répond dignement Calder.

Et il lui explique que chacune des douze pièces correspond à une lettre. Puis il lui montre qu'on peut faire toutes sortes de rectangles avec les pièces.

— Ça demande un peu de pratique, précise-t-il.

— Rapproche un peu cette table, veux-tu?

Calder s'exécute et Mme Sharpe tente d'assembler les pièces pendant plusieurs minutes en marmonnant « douze pièces ». Les deux enfants l'observent sans mot dire. Aucun rectangle ne se dessine.

— Ça prend du temps au début, mais on y arrive, dit gentiment Calder.

— Pfff! lâche Mme Sharpe, l'air dépité. J'ai une autre idée. Combien de mots de... mettons cinq lettres pourrait-on faire en utilisant au moins trois de ces douze lettres dans chaque mot? Tu as déjà essayé?

— Non.

Petra et Calder sont maintenant penchés au-dessus de la table.

— Bon, voyons... dit la vieille femme. Comme lettres, nous avons F, I, L, N, P, T, U, V, W ou bien M, X, Y et Z. J'adore ce genre de défi. Vigne, flûte, moine, plein...

— Hé, mais ça fait treize lettres! proteste Calder. Qui vous a dit qu'on pouvait transformer le W en M?

— Moi, répond Mme Sharpe en manipulant les pièces.

— Malin et lutin! ajoute Petra.

— Zombi! crie Calder.

— Moins fort, jeune homme! Inutile d'alerter les policiers dans le couloir. S'ils s'en mêlent, on n'a pas fini. Maintenant, en ajoutant une lettre, on a : trouve, et... panneau, avec une de plus!

Visiblement très satisfaite, elle continue en marmonnant :

— Prouve... vivant...

À ce moment, une infirmière fait irruption dans la chambre.

— Votre médicament, madame Sharpe.

— Oh, allez-vous-en! grogne la blessée.

L'infirmière ne l'entend pas de cette oreille, et les deux enfants se lèvent, prêts à partir.

— Excellent jeu, dit Mme Sharpe à Calder pendant qu'il ramasse ses pentominos. Beaucoup d'applications possibles.

— Oui, d'ailleurs j'aime bien m'en servir pour...

— Il faut qu'on y aille, Calder, coupe Petra en le tirant par la manche.

Mme Sharpe les remercie de leur visite et agite la main en guise d'adieu. En quittant la chambre, les enfants l'entendent se disputer avec l'infirmière.

XXX Ce soir-là, Calder reçoit un appel de son copain Tommy, qui lui annonce qu'il revient s'installer avec sa mère dans le quartier de Hyde Park. Formidable! Tommy ne sait pas exactement quand ils arriveront, mais l'argent qu'ont réussi à amasser Calder et Petra en vendant des carrés au chocolat s'est avéré très utile. Le vieux Fred n'a pas laissé grand-chose derrière lui.

Tommy a une autre nouvelle d'importance à communiquer à son ami : Frog a été retrouvé. Ses parents étaient partis pour un long voyage et l'avaient confié à un proche, à Washington, D.C. Dans le voisinage new-yorkais de Tommy, personne n'avait jugé utile d'avertir le « petit nouveau », comme il dit; à moins que les rapports entre les voisins et la famille Frog n'aient pas été très amicaux et qu'ils ne se soient tout simplement pas inquiétés des allées et venues du jeune garçon. Tommy vient de recevoir de Frog une carte postale de la National Gallery of Art, représentant le Vermeer récemment dérobé. Calder brûle d'impatience de tout lui raconter, mais il tient sa langue, sachant que le silence est vital au point où ils en sont.

Il appelle aussitôt Petra, qui se réjouit des bonnes nouvelles.

— Tu te souviens du jour où on essayait de faire dire aux

pentominos où était Frog? J'avais tiré le N, comme National Gallery. Il pleuvait à torrents et ma mère nous a donné des serviettes à motif de grenouilles.

— Mmm, oui.

Calder lui raconte le reste de l'histoire.

— Ça me fait penser à un truc à la Charles Fort. Frog disparaît et se retrouve à la National Gallery, puis une image de la *Jeune Femme écrivant une lettre* parvient à Tommy. Ce n'est pas de la télékinésie, mais c'est tout de même étrangement symétrique.

— Ou juste une mauvaise blague, réplique Petra. Un rapprochement de choses qui n'ont rien à faire ensemble.

— Des choses avec un sens de l'humour plutôt sinistre, alors, conclut Calder.

CHAPITRE DIX-NEUF
Illumination dans l'escalier

XXX Après leur visite à Mme Sharpe et les nouvelles concernant le jeune Frog, Petra et Calder sont impatients de reprendre leurs recherches.

Dans le complexe scolaire de l'université, le seul endroit restant pourvu de panneaux en bois est King Hall. Les bâtiments des deux cycles du secondaire sont trop neufs et Poppyfield Hall a été transformé en studios et en théâtres.

King Hall ne comportant que des salles de classe et des bureaux, le bâtiment est pratiquement désert après les heures de classe. Petra et Calder, qui ont décidé de commencer par le deuxième étage, gravissent l'escalier.

Des boiseries, il semble y en avoir des kilomètres. Les enfants se gardent bien d'allumer les lumières et parcourent diverses salles de cours en tapotant sur les lambris pour voir s'ils sonnent creux par endroits. Ils ouvrent les armoires, les placards, sans rien trouver. Ils se penchent sur les bouches d'aération, regardent derrière les tableaux d'affichage, en vain. Le bâtiment semble désespérément massif.

— Comparativement à Delia Dell, ça paraît vraiment mort, ici, dit Calder en regardant l'immeuble rutilant de l'autre côté de la rue.

Achevé en 1916, Delia Dell Hall s'enorgueillit d'innombrables gargouilles et modillons, en partie cachés par le lierre qui pousse sur la façade depuis des décennies. Il y a des tourelles en pierre, une forêt de cheminées et des fenêtres à battants. En plus des pièces d'origine, on a rajouté une piscine, un pub et une salle de cinéma ultramoderne où se donnent régulièrement spectacles et réceptions. Le bâtiment projette sur la neige une chaude lumière jaune qui se réverbère dans les salles obscures de King, à travers les vitres.

— Eh bien, on peut oublier mon idée du E comme École! dit Petra en rejoignant Calder devant la fenêtre. Le tableau ne doit pas être ici. Si nous allions faire un tour à Delia Dell avant de rentrer?

— Bonne idée. Et puis on pourra y trouver des M&M's. Je meurs de faim.

Le soir tombe déjà quand ils se retrouvent dans la rue, qu'ils traversent, laissant derrière eux le bâtiment de King Hall plongé dans l'obscurité.

XXX Assis sur un long banc dans le grand hall de Delia Dell, Petra et Calder dégustent un paquet de croustilles, agrémenté de p'tits bleus. Il neige abondamment et les flocons recouvrent le campus d'un épais manteau qui estompe toutes les formes, comme par magie. L'immeuble étant bien chauffé, manteaux, foulards et mitaines sont rassemblés en un tas humide à côté d'eux.

À l'autre bout de la pièce, des élèves du secondaire discutent d'un cours de latin. Un monsieur à gros sourcils lit le journal dans un fauteuil. Un enseignant, dont la tête ressemble à une boule de jeu de quilles, une boule rose, se hâte en direction de la piscine, une serviette sous le bras. Une femme passe, un trousseau de clés géant à la main, et monte l'escalier. Calder perçoit un bruit de serrure, puis un claquement de porte et un nouveau cliquetis.

Petra, de son côté, n'a pas l'air de remarquer quoi que ce soit. Elle mange tranquillement, regardant droit devant elle avec une expression endormie.

Calder, lui, se sent d'humeur bavarde.

— Ça alors! Il n'y a que du bois, ici aussi. Regarde cet escalier. Je ne l'avais jamais remarqué jusqu'à maintenant. On dirait un décor de vieux film, tu sais, comme si Bette Davis allait surgir en haut.

— C'est vrai, fait Petra en se levant et en s'étirant. Viens, il est tard.

Une fois sortis du hall, ils se bornent à la partie ancienne du bâtiment et s'aventurent dans une enfilade de salles toutes lambrissées, avec un sol carrelé et des âtres en pierre.

Ni l'un ni l'autre ne s'étaient rendu compte de l'immensité des lieux. Il y a des tournants et des couloirs partout, on se croirait dans un labyrinthe qui réserve chaque fois de nouvelles surprises. On passe sans transition d'une salle immense à une petite pièce confortable. Il y a une vaste salle de bal où se déroule, dans un coin, un cours de tai-chi; de l'autre côté du couloir, une salle de réception miniature, suivie de ce qui semble être une salle à manger. Des moulures en plâtre ornées d'arabesques bordent les grosses poutres qui traversent les plafonds. Les murs, couverts de panneaux rectangulaires de différentes tailles, sont interrompus ici et là par des portes presque invisibles, seulement signalées par une petite poignée en bois et un trou de serrure. L'une de ces portes ouvre sur une cuisine à l'ancienne, une autre sur un escalier de service et trois ou quatre autres restent obstinément fermées.

La salle à manger donne sur une bibliothèque ensoleillée, avec un énorme foyer. Sur le manteau se trouve une imitation de parchemin en bois sculpté, entourée de lions et de licornes, sur laquelle on lit : DÉDIÉ À LA VIE DES FEMMES DE L'UNIVERSITÉ DE CHICAGO.

Petra se plante devant, remplie d'admiration pour les lettres gothiques.

— Cool! Je me demande ce que ça signifie.

— Ma mère m'a expliqué que c'était le premier endroit de l'université où les femmes pouvaient se réunir pour se détendre. Bon, continuons.

Le deuxième étage comprend des bureaux et trois salles de cours avec des rangées de chaises vides, de vieilles peintures sur les murs et des fenêtres à vitraux.

Au troisième étage, il y a un théâtre miniature. Les murs latéraux sont ornés d'une procession de jeunes gens en costume médiéval, en train de danser, de jouer ou de bavarder dans un paysage campagnard idyllique. Le mur nord est percé de fenêtres ogivales, avec une porte-fenêtre au centre qui donne sur une terrasse. Petra et Calder s'immobilisent à l'entrée de la salle, médusés. Un rideau de velours rouge cache la scène, de part et d'autre de laquelle se trouvent deux petites portes en bois.

Poussés par une curiosité irrésistible, ils avancent lentement vers la scène. Personne en vue. Calder s'approche de la porte de droite et, sans dire un mot, tourne la poignée. La porte s'ouvre. Trois marches de faible hauteur mènent aux coulisses, assez exiguës.

Ils se faufilent à l'intérieur, piétinant au passage des cordons effilochés, un luth sans cordes, un pichet en plastique et un vieux balai.

— Des accessoires parfaits pour un Vermeer de pacotille, observe Calder.

Au lieu de faire sourire Petra comme il l'espérait, cette remarque la laisse complètement indifférente.

— Pas beaucoup d'espace pour une cachette, dit-elle seulement.

Elle a soudainement la sensation d'avoir oublié un rendez-vous ou un objet important. Est-ce un malaise passager? En tout cas, elle se sent drôle et doit faire un effort pour parler.

Ils redescendent au deuxième et Petra, attirée par une fenêtre à battants qui, bizarrement, lui inspire confiance, s'assied sur un banc au pied de celle-ci.

Calder s'est mis à quatre pattes et inspecte l'âtre.

—Je regarde à tout hasard s'il n'y a pas d'étagères cachées quelque part. J'ai l'impression que ce bâtiment regorge de secrets, pas toi?

N'obtenant aucune réponse, il se tourne vers Petra.

— Qu'est-ce que tu as? On dirait que tu somnoles.

— Calder, ces fenêtres...

Il se redresse.

— Ouais, dit-il lentement. Un peu comme celles de Vermeer, hein?

Petra parcourt la pièce du regard.

— Et ces panneaux en bois. Il y a des millions de vieux bâtiments avec des lambris, mais ces rectangles...

Sa voix s'estompe, et elle se contemple dans le reflet de la vitre. Il fait de plus en plus sombre.

Calder s'avance et s'assoit paisiblement à côté d'elle.

— Tu veux qu'on continue à inspecter les lieux? demande-t-il avec l'intonation de ses parents quand ils veulent l'inciter à faire quelque chose sans le forcer.

Petra se tourne vers lui, le visage impassible.

— Calder, à quoi penses-tu?

— Tu parles comme si on approchait du but.

Petra a soudain très chaud.

— Je crois que j'ai attrapé froid. Viens. Sortons d'ici.

Ils reprennent la direction du rez-de-chaussée, passent devant des poignées de portes cuivrées en forme de belette, sous une sculpture de joueur de flûte incrustée au plafond, à côté d'une paire de lions en pierre montant la garde sur le palier. Petra descend l'escalier tournant comme une automate, la main posée sur la rampe; soudain, elle s'arrête net. Calder ne l'a pas vue et continue à descendre.

Sous la rampe, le limon de l'escalier est constitué d'un

entrelacs de vigne vierge en fer forgé auquel se mêlent diverses créatures, oiseaux, souris et lézards. En bas de l'escalier, les deux gros piliers du noyau sur lesquels s'appuient les marches sont en chêne sculpté. Ils représentent des personnages tonsurés, des moines, semble-t-il. Moine, panneau, vigne, flûte, trouve... Les tempes de Petra palpitent comme une membrane de haut-parleur. Moine, vigne... moine, vigne... panneau, flûte, trouve... TROUVE! Les mots de Mme Sharpe! Petra est figée sur place, la main toujours agrippée à la rampe.

Du coin de l'œil, elle aperçoit Calder, en train de fouiller dans le tas de vêtements trempés qu'ils ont laissé en bas. Pourvu que son visage ne reflète pas son esprit en ébullition. Marche normalement, se dit-elle... Un homme baisse son journal et la regarde passer. Est-ce qu'on entend son cœur battre? Est-ce qu'on peut lire la frénésie de pensées qui s'est emparée d'elle? Elle attrape ses vêtements et se précipite dehors, dans la bienfaisante fraîcheur de la nuit.

— Petra? Qu'est-ce qui te prend?

— Viens!

Calder arrive à peine à suivre sa copine qui fonce dans la neige fraîche, moitié sautant, moitié trébuchant. Elle tourne au coin d'un immeuble, débouche dans la 59e rue et ralentit un peu en regardant derrière elle. Calder l'imite, pris de frayeur à son tour.

— Passons par les cours des maisons pour rentrer. Il faut qu'on disparaisse, d'accord?

Calder presse le pas à côté d'elle, leurs épaules se touchent.

Il songe au P pour Prière, à moins que ce ne soit pour Piège...
Entre les réverbères, les ombres bleutées de la fin de l'après-midi et les haies entre les maisons ont quelque chose de menaçant. Les passants emmitouflés, le dos voûté, ont l'air dangereux.

Lorsque Petra s'estime en sécurité, certaine de n'être pas suivie, elle s'arrête enfin.

— Calder, dit-elle, ça y est.

Il scrute la ruelle en frissonnant.

— Quoi? Qu'est-ce qui y est?

— Je crois qu'on a trouvé la dame.

CHAPITRE VINGT
Un fou

XXX En se brossant les dents ce soir-là, Petra récapitule ce qui s'est passé au Delia Dell Hall. D'un seul coup, elle a ressenti comme une décharge électrique au cerveau. Cela lui rappelle le jour où elle a mis les doigts sur le fil en partie dénudé d'une lampe qu'elle venait de brancher.

Mme Sharpe s'est-elle trahie d'une façon ou d'une autre, ou bien espérait-elle au contraire qu'ils saisiraient au vol quelques indices lâchés comme par hasard? Petra songe à ce que leur a dit une fois Mme Hussey à propos des criminels qui agissent inconsciemment comme s'ils voulaient se faire prendre. Si elle et Mme Sharpe sont complices...

Brusquement, comme si elle venait de changer de lunettes, elle se rend compte de l'extravagance des idées auxquelles elle s'est accrochée. Sont-ils devenus fous, Calder et elle, pour s'imaginer que les deux femmes puissent être mêlées à un vol? Tous les soupçons qu'ils nourrissaient vis-à-vis de leur voisine et de leur enseignante lui paraissent à présent excessifs et enfantins. Comment cette illumination dans l'escalier pourrait-elle être autre chose qu'une gigantesque coïncidence?

Calder et elle ont d'abord commencé par jouer aux pentominos avec Mme Sharpe. Il était évident que celle-ci n'avait jamais vu ce jeu. Les mots qu'elle a combinés dans sa chambre d'hôpital, elle ne pouvait pas les avoir prévus.

Deuxièmement, c'est une vieille femme et la veuve d'un

homme assassiné. Elle a reçu une lettre du voleur. Après des semaines d'inquiétude, elle a fini par la montrer à la police en demandant par la même occasion qu'on la protège. Quant à Mme Hussey, c'est une jeune enseignante, consciencieuse et dévouée. Pourquoi serait-elle mêlée à une histoire de vol d'œuvre d'art?

Petra tapote sa brosse à dents sur le rebord du lavabo. Elle s'est laissé emporter par son imagination. En voulant résoudre le mystère, elle a tiré des conclusions ridicules! Toutes ces recherches la rendent folle. Son illumination provient sans doute du fait qu'elle ne se sentait pas bien. Les mots trouvés par Mme Sharpe? C'est encore un magnifique exemple d'incident inexplicable à la Charles Fort. La peinture dérobée se trouve sans doute quelque part en Suisse, au Brésil ou au Japon. Demain matin, elle présentera ses excuses à Calder pour lui avoir fait peur.

Dans deux jours, ce sera son douzième anniversaire. À son âge, on doit savoir démêler ce qui est rationnel de ce qui ne l'est pas.

Elle pose sa brosse à dents et, assise sur le rebord de la baignoire, attend que l'eau soit chaude. Ses pensées dérivent vers le modèle de Vermeer, la fameuse dame qui lui est apparue en rêve. « Est-ce que je pense correctement? aimerait-elle lui demander. Ce qui s'est passé aujourd'hui, est-ce le produit de mon imagination? Êtes-vous au Delia Dell Hall? » Elle attend la réponse, mais rien ne vient.

Le doute s'insinue dans son esprit. Depuis quand est-elle

devenue si rationnelle? L'imagination, c'est son point fort. Et n'ont-ils pas décidé, Calder et elle, qu'il fallait absolument sauver Mme Hussey? Et que dire de cette lettre qu'elle a trouvée dans la haie de Mme Sharpe?

Elle saute dans la baignoire et se met une débarbouillette chaude sur le front. La tête renversée en arrière, elle ferme les yeux.

Brusquement, voilà qu'elle visualise un rectangle à l'intérieur d'un triangle. C'est plus une sensation qu'une image. Elle baisse encore plus la tête, laissant l'eau pénétrer dans ses oreilles. Comment faire pour arrêter de penser?

XXX Le jour s'est levé sur un paysage étincelant, plus blanc que blanc. Là où elles ne sont pas couvertes de neige, les branches des arbres, d'un noir d'encre, se détachent sur un ciel pur qu'on dirait lessivé par la tourmente de la veille.

Petra regarde par la fenêtre tout en s'habillant et se dit que ces branches sont comme des fleuves sur une carte ou des fêlures dans une assiette bleue. Ce sont peut-être les symboles d'un code inconnu. Comment savoir si les arbres ne parlent pas à leurs branches, ne leur transmettent pas des messages, saison après saison, au moyen d'un mystérieux vocabulaire de formes? La façon de penser de Calder est décidément contagieuse...

Elle descend prendre son déjeuner en sifflotant gaiement. Le monde lui semble riche de mille possibilités. Ses pensées de la veille lui paraissent maintenant empreintes de lâcheté et

dénuées d'imagination. Qu'est-ce qui a bien pu lui traverser la tête? Elle songe à la phrase du voleur : « Félicitations à tous pour votre sens de la justice. »

On est samedi matin et ses parents, encore en pyjama, lisent le *Chicago Tribune* côte à côte, presque à se toucher la tête. Ils ont l'air consterné.

— Cet homme est un fou! Un psychopathe introverti! lâche le père de Petra en tapant du plat de la main sur la table. Les bols de céréales tressautent sous le coup. Petra se fige.

— Qu'est-ce qui ne va pas?

— Il y a du nouveau à propos du vol du Vermeer. Souhaitons que le FBI soit efficace!

M. Andalee s'est levé en parlant et vient poser une main sur l'épaule de sa fille.

— Tu dois être contente de ne pas être responsable du sauvetage d'un chef-d'œuvre volé par un maniaque.

— Oui, papa, dit-elle, et, la gorge nouée, elle commence la lecture de l'article.

LA NATIONAL GALLERY OF ART A REÇU HIER LA LETTRE ANONYME REPRODUITE CI-DESSOUS. LE DERNIER MESSAGE DU VOLEUR, UNE ANNONCE EXPÉDIÉE À LA RÉDACTION DU *CHICAGO TRIBUNE*, AVAIT ÉTÉ POSTÉ DE FLORENCE, EN ITALIE. LA LETTRE D'HIER A ÉTÉ ENVOYÉE D'UN BUREAU DE POSTE SITUÉ À WASHINGTON, D.C. LA NATIONAL GALLERY OF ART, COMME LE FBI, A ESTIMÉ QU'IL ÉTAIT IMPORTANT DE DIFFUSER PUBLIQUEMENT ET SANS ATTENDRE LES DERNIÈRES INTENTIONS DU MALFAITEUR.

Chers amis de la National Gallery,

Un livre paru récemment sous le titre Le Dilemme Vermeer : que faire ? *souligne l'avalanche de réactions publiques suscitées par ma lettre ouverte et par mes trois annonces. Mon argumentation a été diffusée dans les journaux du monde entier, lesquels en sont venus, bien évidemment, à partager mes convictions. Il vous appartient maintenant, à vous et à vos collègues, de manifester publiquement votre accord avec l'écrasante majorité des citoyens.*

Je vous demande expressément d'écrire à tous les autres propriétaires d'œuvres de Vermeer une lettre établissant la justesse de mon point de vue et exigeant que l'attribution des œuvres que j'ai identifiées soit immédiatement modifiée.

Si ces attributions ne sont pas changées d'ici un mois, c'est-à-dire avant le 11 janvier, je me verrai au regret de détruire Jeune Femme écrivant une lettre. *Je considérerai ce geste comme un sacrifice au service de la vérité, une leçon infligée à celles et ceux qui sont trop rigides et trop malhonnêtes pour agir comme il faut.*

Je suis une vieille personne qui n'en a plus pour longtemps à vivre. Néanmoins, je compte vivre assez longtemps pour voir cette affaire résolue par écrit et sur les murs des musées ou, avec la plus grande horreur, par le feu.

Je vous supplie d'épargner ce tableau. Comme je l'ai annoncé en novembre, j'ai la certitude qu'au fond de vous-mêmes, vous en viendrez très bientôt à partager mes convictions.

Faites ce qui est juste.

Petra lâche le journal et se précipite hors de la cuisine.

CHAPITRE VINGT ET UN
Voir et regarder

XXX — Ce voleur est plus cruel qu'on ne l'imaginait.

Il est neuf heures du matin et les deux enfants boivent du chocolat chaud, assis dans la cuisine de Calder, dont les parents sont partis faire des courses.

— Je parie que si nous appelions la police aujourd'hui, Delia Dell serait fouillé immédiatement. Et si la toile s'y trouve bien, ils auraient plus de chances de la trouver que nous... Il y a un autre moyen, bien sûr, qui consiste à tout dire à nos parents et à les laisser se débrouiller.

C'est Petra qui vient de s'exprimer et ni l'une ni l'autre des deux perspectives n'ont l'air de l'enthousiasmer.

Absorbé dans ses pensées, Calder sourit.

— On peut aussi n'en parler à personne, dit-il au bout d'un moment. J'imagine déjà la une des journaux : « Deux enfants retrouvent le Vermeer dérobé », ou bien : « Des enfants retrouvent brillamment la trace du chef-d'œuvre de Vermeer », ou encore : « Deux enfants au secours du FBI »...

— Calder, tu n'as pas honte! s'exclame Petra d'un ton de grande sœur outragée. C'est le tableau qu'il faut chercher, pas la gloire...

— Eh bien, trouvons-le! fait Calder en croisant les bras, l'air boudeur. Et ne me dis pas que ça ne te plairait pas de faire la une.

Malgré elle, Petra s'imagine interviewée à la télé ou en photo à la une du *Chicago Tribune*.

— Mettons, répond-elle d'une voix radoucie.

— Je vote pour qu'on essaie de le retrouver nous-mêmes. Si on n'y arrive pas dans la journée, on prévient nos parents et la police ce soir.

— D'accord. Mais je pense qu'il faudrait d'abord appeler Mme Sharpe.

— Pourquoi? demande Calder, qui a sorti un pentomino de sa poche, et le tourne et retourne sur la table sans le regarder. Parce que ce message à la presse lui ressemble? On sait bien qu'il n'est pas d'elle. Elle est à l'hôpital, et en plus, jamais elle ne s'attaquerait à une œuvre de Vermeer.

— Elle voudra peut-être nous aider, dit Petra en tapant énergiquement sur la table avec sa tasse. Nous lui raconterons ce qui s'est passé à Delia Dell. Ça devrait éveiller sa curiosité. Si elle sait quelque chose, elle va peut-être le laisser échapper.

Tous deux se penchent sur le pentomino : c'est un U.

— Ça veut dire quoi? demande Petra.

— Urgence. Autrement dit : plus un instant à perdre.

Ils appellent aussitôt l'hôpital et demandent la chambre de Mme Sharpe.

— Bonjour, madame Sharpe, c'est Petra. Heu... Calder et moi, on est allés à Delia Dell, hier soir.

— Et alors?

La voix de Mme Sharpe est aussi tranchante qu'un rayon laser.

— Eh bien, c'est au sujet du message paru dans les journaux... Nous sommes très inquiets.

Silence à l'autre bout de la ligne.

— Madame Sharpe? On ne voulait pas que vous vous inquiétiez... pour nous.

— Vous vous donnez beaucoup d'importance. Pourquoi est-ce que je m'inquiéterais?

Avant que Petra puisse expliquer à la vieille femme son illumination dans l'escalier, celle-ci lui dit :

— Faites attention à vous. Voir et regarder sont deux choses très différentes.

Puis elle raccroche.

XXX Calder écrit un mot pour ses parents, puis Petra et lui enfilent leur manteau et foncent au campus. Ils pénètrent dans le bâtiment de Delia Dell par une porte latérale. Le carrelage est mouillé et, en entrant, Petra glisse, trébuche et se retrouve à quatre pattes au pied d'un banc.

Quand elle lève les yeux, un homme la regarde. Il a des sourcils incroyablement broussailleux et des yeux qui semblent beaucoup trop petits pour son visage.

— Za glisse, hein?

Petra a déjà entendu cet accent. La voix est grave, plutôt agréable.

— Guand ils zont mouillés, zes vieux carrelages zont redoutables. Mais z'est un beau bâtiment. Un drès beau bâtiment.

Il sourit à Petra, ses yeux disparaissant presque sous ses sourcils.

— Vous êtes déjà venus vizider l'audre jour, n'est-ze pas? ajoute-t-il.

Il lui tend une grosse main, que Petra néglige de saisir pour se relever.

— Ça va, bredouille-t-elle, et elle pousse Calder hors de la porte d'entrée.

— Super, ironise-t-il. Le gars nous a repérés et tu t'énerves... Qu'est-ce qu'on fait, maintenant?

— Je n'allais tout de même pas lui demander, comme ça, où se trouvait le Vermeer. Tu as reconnu sa voix? Je crois que c'était l'homme de la poste.

— Quel homme?

— Celui qui a mis le pied sur la lettre de Mme Sharpe!

— Eh bien, qui qu'il soit, nous aurions dû tout simplement continuer à avancer. On ne pourra certainement plus passer inaperçus, maintenant!

Jamais encore ils ne se sont disputés. Petra s'est fait mal au coude et elle s'en veut. Elle sait que Calder a raison. Cet homme n'est peut-être qu'un visiteur, après tout.

— Attends, dit Calder. J'ai une idée. Je crois que je me souviens d'un endroit où il y a un accès au sous-sol.

Ils contournent rapidement l'aile est et soudain, dans un renfoncement, apparaît comme par miracle une série de marches, en haut de laquelle se trouve une petite porte. Elle est maintenue entrouverte par une vieille poubelle cabossée.

— Génial! Si on nous demande ce qu'on fait là, on n'a qu'à dire qu'on dresse un plan, comme l'autre fois.

Calder a dit ça d'une voix moins assurée qu'il ne le voudrait.

— Sortons du papier et des crayons, pour que ça ait l'air vrai, au moins! ajoute Petra.

Leur matériel en main, ils s'approchent. Difficile de voir clair par l'embrasure. Ils scrutent ce qui se présente comme un couloir obscur, regardent derrière eux une dernière fois et entrent.

Marchant sur la pointe des pieds, ils suivent un long corridor qui fait un angle à gauche, puis à droite. Ils poussent une porte battante et pénètrent dans une pièce éclairée par une ampoule unique pendue au plafond. Une fois à l'intérieur, ils se trouvent face à trois issues possibles et choisissent celle du milieu.

— Beurk!

Calder vient de marcher dans un tas de déchets puant le lait sur et les souliers de course. Petra avance en se bouchant le nez avec sa mitaine.

Les voici arrivés au carrefour de plusieurs couloirs.

— On va dans quelle direction? demande Calder en jetant un œil méfiant à la peinture qui s'écaille sur les murs.

— Aucune idée, mais j'ai une préférence pour tout ce qui remonte.

Après avoir suivi un des couloirs au hasard, ils se retrouvent, à leur grand soulagement, devant un escalier en fer. Ils se hâtent de monter.

Au deuxième étage, ils tombent sur une fenêtre dont la vitre est faite d'une mosaïque de losanges et qui donne sur le grand hall du bâtiment.

— Je ne vois pas grand-chose. Essaie, toi, fait Calder en s'écartant.

À ce moment, quelqu'un passe rapidement derrière eux. Ils ont juste le temps de saisir le reflet d'un chandail bleu. Mus par un même réflexe, ils se baissent tous les deux et Petra heurte le nez de Calder avec sa pince à cheveux.

— Pe-tra! Fais donc attention!

Calder a oublié de chuchoter et la veste bleue réapparaît, s'immobilise quelques instants, puis repart.

— Calder, ça ressemblait au chandail de mon père. Il faut que je jette un coup d'œil.

— Et qu'est-ce qu'on va dire si c'est lui? Il va nous demander ce qu'on fait là...

— Je ne sais pas, mais il faut absolument que je vois si c'est mon père.

Ils suivent le couloir et passent devant divers bureaux. Lorsqu'ils arrivent à un coin, ils aperçoivent l'homme en bleu montant au troisième, un petit paquet rectangulaire sous le bras.

Aucun doute, il s'agit de Frank Andalee.

— Très étrange, marmonne Petra. Qu'est-ce qu'il peut bien fabriquer ici? Il lui arrive de travailler le samedi, mais c'est toujours à l'autre bout du campus.

Petra se remémore la colère de son père ce matin, en lisant

le journal : « Tu dois être contente de ne pas être responsable du sauvetage d'un chef-d'œuvre volé par un maniaque. » Ce mot, « maniaque », a un écho sinistre. Se sentirait-il responsable de quelque chose, lui? Il est peut-être tombé sur un indice par indiscrétion. Cela expliquerait qu'il ait été si grincheux dernièrement.

Elle se rappelle aussi les mots qu'elle l'a entendu murmurer le jour où il ratissait les feuilles mortes : « un prêt » ou « après »? Curieusement, ces deux possiblités lui donnent la chair de poule. Et puis, il y a cette discussion à propos des deux lettres mystérieuses, sans oublier ce qu'elle l'a entendu dire à sa mère cet automne : « ...tout le monde a quelque chose à cacher! »

La voyant si tourmentée, Calder vient lui tapoter le dos.

— Je suis sûr qu'il a de bonnes raisons d'être ici.

Laissant leurs sacs à dos et leurs vêtements sur un rebord de fenêtre, ils entament l'exploration du deuxième étage de Delia Dell. Pendant une demi-heure, ils ne font que fouiller des yeux et des mains, sonder, écarter, pousser, ouvrir et refermer. Ils découvrent plusieurs placards, des cloisons qui sonnent creux, mais pas l'ombre d'une peinture.

Petra a du mal à se concentrer.

— Je n'arrive pas à comprendre ce que peut bien faire papa dans ce bâtiment.

— Il se poserait la même question s'il te voyait.

— Et ce paquet qu'il portait, il était juste de la bonne taille...

Soudainement, elle en a assez de soupçonner tout le

monde. D'abord Mme Sharpe, ensuite Mme Hussey, puis les deux, et maintenant... son père?

Calder semble deviner ses pensées.

— C'est moins amusant que je ne pensais d'espionner les gens et de fouiller partout, dit-il.

Petra détourne les yeux vers l'une des fenêtres, elle voit son père traverser le stationnement, en compagnie de l'homme de la poste.

— Calder! Ils sont ensemble!

Ce disant, elle remarque que son père a les épaules voûtées et les mains dans ses poches. Il s'est débarrassé de son paquet.

CHAPITRE VINGT-DEUX
Des douze à la douzaine

XXX Le temps que Calder et Petra se ruent à l'extérieur, les deux hommes ont disparu. Aucune trace n'est décelable dans la neige tassée.

— On n'a plus grand-chose à faire ici, constate tristement Petra.

— Alors, partons!

En se dirigeant vers l'avenue Harper, Calder et Petra décident de revenir le soir même à Delia Dell, après avoir dit à leurs parents respectifs qu'ils passeraient la soirée l'un chez l'autre.

— Finalement, je crois qu'une carrière de criminels s'ouvre à nous, plaisante Petra, mi-figue, mi-raisin. Mais ça, c'est différent... ce sera comme un cadeau d'anniversaire, un peu en avance...

Calder s'est arrêté pile et la dévisage, interloqué.

— Comment as-tu su?

— Su quoi?

— Que c'était mon anniversaire.

— Quoi? Mais... c'est le mien aussi!

Curieusement, cette découverte n'a pas l'air de réjouir Calder, qui soupèse une pièce de pentomino d'un air grave. Le P.

— P comme Pentominos... Un jeu compte douze pièces. On a douze ans tous les deux un douze décembre... Comment ai-je fait pour manquer ça?

— Étrange... fait seulement Petra, bouche bée.

— C'est un casse-tête à base de douze. Les pentominos d'abord, le fait qu'on a douze ans tous les deux le douzième jour du douzième mois de l'année, et je te parie qu'il y a une allusion au nombre douze chez Vermeer ou dans le tableau.

— Calder Pillay, tu es fou à lier ou génial, l'un ou l'autre. Peut-être les deux, en fait.

— Et, sauf erreur, il nous reste une douzaine d'heures pour tirer ça au clair. Tu crois qu'on y arrivera?

— J'en suis sûre.

XXX Le soir venu, les deux enfants s'accroupissent derrière un buisson au pied des fenêtres du grand hall de Delia Dell. Il est dix-huit heures cinquante. Le beau temps du matin a fait place à des nuages noirs qui s'étirent sur fond de ciel violacé.

— Regarde, l'homme de la poste! chuchote Calder.

Effectivement, c'est lui, suivi, quelques instants plus tard, d'une employée qui vient fermer les portes principales de l'édifice. L'homme descend lentement les marches extérieures et s'avance vers une voiture stationnée. Petra et Calder le voient se retourner et parcourir des yeux la 59ᵉ rue avant d'ouvrir la portière, comme s'il attendait quelqu'un. Petra et Calder ont le temps de bien mémoriser son visage.

— Vite! souffle Petra en sortant du buisson dès que la voiture s'est éloignée.

Ils font le tour du bâtiment en direction du local où sont entreposées les ordures. La petite porte dérobée qu'ils ont découverte ce matin est toujours entrebâillée. Ils se précipitent, courbés en deux, et se glissent furtivement à l'intérieur, pas très rassurés. Il fait noir comme dans un four là-dedans!

Au loin, ils entendent des pas; quelqu'un s'approche en sifflotant.

Petra tire Calder par la manche et lui montre un énorme classeur. Ils se réfugient derrière, osant à peine respirer.

Les pas, à la fois rapides et pesants, résonnent de plus en plus près, puis ils perçoivent un grognement et le bruit d'une poubelle qu'on dépose brutalement à terre. Ils discernent la silhouette d'un homme se déplaçant dans l'ombre.

Encore quelques pas, puis un claquement de porte, et enfin un cliquetis de serrure fermée à double tour. L'homme a éteint la lumière, les laissant plongés dans le noir. Le martèlement des pas s'éloigne. Ils attendent encore un peu et entendent une autre porte se refermer.

Petra sort de son sac à dos une lampe de poche qui s'allume, clignote quelques instants, puis s'éteint. Elle la secoue vigoureusement. Rien. Elle a brusquement l'impression que les ténèbres se referment sur eux et que ses oreilles bourdonnent. Tout autour, l'espace s'est rétréci de façon angoissante.

— Ah, ça alors!

— Tu ne l'as pas essayée chez toi?

— Bien sûr que oui!

Mais soudain, à leur grand soulagement, voilà que la lampe s'allume. Petra éclaire le plafond.

Tenant la lampe comme un verre plein à ras bord, ils s'avancent avec prudence à travers un dédale de salles de rangement et de pièces humides. Les lieux leur semblent différents de ce qu'ils ont vu ce matin; ils ont dû bifurquer quelque part sans s'en rendre compte. Calder se dit que « chair de poule » ne suffit pas pour exprimer la sensation qu'ils ressentent dans cet endroit. Le sous-sol de Gracie Hall paraissait confortable en comparaison.

Calder et Petra évitent de penser à autre chose qu'à leur prochain pas.

Les couloirs semblent interminables. La lampe de Petra s'éteint de nouveau, définitivement cette fois. Cramponnés l'un à l'autre, les enfants progressent à tâtons, passent le coin d'un mur, et bientôt distinguent au loin un rectangle lumineux signalant une issue.

— On y est!

En effet, au bout du passage, une porte ouvre sur le grand hall.

Une stalle de chœur d'église à haut dossier se dresse devant eux. La lune s'est levée depuis qu'ils sont entrés et projette ses rayons par la fenêtre à battants du deuxième étage. Des rectangles brisés et des losanges se dessinent en biais sur les marches et les têtes de deux moines.

— C'est peut-être aussi bien que ma lampe ne marche pas,

chuchote Petra. On aurait pu nous repérer de l'extérieur.

— J'étais justement en train de me dire la même chose, répond Calder en regardant vers la salle de banquet et la bibliothèque.

Se sentant comme rapetissés dans l'obscurité, ils traversent le grand hall et montent quelques marches pour accéder à la pièce suivante. Ils passent sous les moulures en rinceaux et pénètrent dans la bibliothèque.

De nuit, la pièce paraît caverneuse et dépeuplée, alors que, dehors, des étudiants regagnent leur logement en bavardant et en riant. Petra et Calder se sentent coupés du monde par un abîme de responsabilités. Qu'est-ce qui leur a pris de tenter un coup pareil?

— Bon, commençons ici et surtout, restons ensemble, dit Petra.

Écarquillant les yeux dans le noir, tâtonnant des deux mains, ils sondent tout le long du mur sud, cherchant des placards dérobés, des panneaux coulissants, des charnières. Ils ne progressent pas vite.

À l'entrée de la salle à manger, ils hésitent, scrutant les ténébres qui s'épaississent. Il y a moins de fenêtres ici. Finalement, ils se décident et reprennent méthodiquement leur tâtonnement en progressant un peu plus vite. Ils appuient et tapent si fort sur chaque boiserie que leurs bras tremblent et qu'ils ont mal aux jointures des doigts.

Subitement, Calder se retourne, d'un mouvement si vif qu'il fait sursauter Petra.

— Quoi?

Sans répondre, il s'élance vers l'escalier.

— Hé! Attends-moi, fait Petra en essayant de le rattraper.

Il s'immobilise au pied de l'escalier, puis monte douze marches en les comptant au fur et à mesure.

— Qu'est-ce qu'il y a? demande Petra d'une voix étranglée en arrivant à sa hauteur.

— Je crois que j'ai trouvé. Redescends.

— Toute seule?

— Dépêche-toi. Arrête-toi juste sous la douzième marche.

Calder est essoufflé, mais calme.

Petra a la sensation d'être épiée par des fantômes dans tous les coins. Si elle disparaît, comme Frog, ce sera entièrement la faute de Calder.

— Ici? souffle-t-elle, le cœur battant à tout rompre.

Il fait terriblement sombre sous cet escalier. Soudain, elle se remémore ce qu'elle a visualisé en prenant son bain : un rectangle à l'intérieur d'un triangle. Elle se trouve justement devant un vaste triangle.

— Encore une marche, avance un peu.

Calder redescend d'un trait et s'accroupit à côté d'elle. Il passe ses doigts sur la surface du mur. Celui-ci est couvert de petits panneaux carrés d'environ dix centimètres de côté.

— Une série de douze... marmonne Calder. Six, sept, huit... voilà, ici.

Ils donnent des petits coups sur chacun des douze panneaux, puis sur ceux qui sont autour. Cela sonne nettement creux. Il y a un espace vide derrière, cela paraît évident.

Ils appuient de tout leur poids sur le chêne ouvragé. Rien.

— Poussons plus doucement. Il y a peut-être un ressort ou une clenche.

Petra commence en haut à droite, Calder en haut à gauche, et tous deux progressent avec précaution, sur quelques dizaines de centimètres.

Ils refont la même opération à deux reprises, essayant chaque fois de centrer le douzième panneau dans un rectangle imaginaire de plus en plus grand. Au troisième essai, ils sentent quelque chose céder.

Un grincement se fait entendre, suivi d'un bruit sourd.

Le panneau s'est ouvert vers l'intérieur, révélant une espèce de niche, comme un placard à rangement peu profond.

Les mains tremblantes, Petra saisit fébrilement sa lampe et pousse sur le bouton. Miraculeusement, elle marche.

— Oh, mon Dieu, Petra!

Une petite forme rectangulaire enveloppée dans du tissu est appuyée contre le fond de la niche.

Sous le coup de l'émotion, Calder recule d'un pas. Petra lui tend sa lampe et s'empare de l'objet. Le tissu est du velours.

Ils s'assoient par terre, côte à côte, et Petra commence à déballer la chose, dépliant soigneusement le précieux tissu, en largeur, puis en hauteur. Il y en a des mètres et des mètres, et le velours grenat s'entasse sur ses genoux. Elle caresse enfin un coin de cadre. Le bois est doux au toucher. Puis apparaît l'image. Petra s'immobilise.

— C'est vous! prononce-t-elle en un souffle à peine audible.

Calder achève de découvrir le chef-d'œuvre.

C'est un moment dont ils se souviendront toute leur vie. Le faisceau de la lampe électrique fait luire les perles, le satin des rubans, les yeux du modèle. Le portrait est encore plus beau et plus délicat qu'ils ne l'imaginaient. De grosses larmes commencent à couler sur les joues de Petra, brouillant sa vision du visage qui l'a si souvent hantée.

En l'entendant sangloter, Calder sent à son tour les larmes lui monter aux yeux. En cet instant miraculeux, il n'y a qu'eux trois au monde : la dame, qui a près de trois cent cinquante ans, et les deux enfants, qui en ont presque douze.

— On va vous sortir d'ici, chuchote Petra.

Calder s'essuie les joues sur sa manche et montre du doigt les perles qui reposent sur la table au milieu du tableau.

— Compte-les.

Petra obéit, puis elle relève timidement la tête, osant à peine adresser un regard à son ami, le sachant aussi bouleversé qu'elle.

— Dix? Oh, non, c'est incroyable! Avec les deux boucles d'oreilles, ça fait douze!

Ils échangent un sourire ému.

— Qu'est-ce qui t'a fait remarquer ça? demande Petra.

— Je ne sais pas. C'est elle, peut-être.

Petra hoche la tête, les yeux fixés sur la toile.

Les deux enfants se raclent la gorge. Ils n'ont pas songé à

ce qu'il leur faudrait faire s'ils la trouvaient.

— Calder, il fait très froid dehors. Tu ne crois pas que ça pourrait l'endommager? Je pourrais peut-être l'envelopper dans mon manteau.

— Oui, il le faut. On ne va pas la laisser ici, ce serait pire. Le voleur peut repasser la prendre demain. On ne se le pardonnerait jamais.

Éclairée par Calder, Petra enveloppe soigneusement le tableau dans le grand drap de velours, puis elle ôte son chandail et y emballe le paquet. La chose n'est pas très commode à transporter à cause du cadre de grande taille.

Ils reviennent dans le hall central, qu'ils traversent à pas de loup, et se dirigent vers l'une des sorties au nord du bâtiment.

Au-dessus de la porte, ils remarquent une lumière rouge révélatrice d'une alarme.

— Je te parie que toutes les portes principales ont des détecteurs optiques, dit Calder. On pourrait essayer de sortir par le sous-sol, mais il y a peut-être des alarmes en bas aussi. Ou encore tu sors en courant et si quelqu'un nous voit, je tenterai de créer une diversion.

— Non. Restons ensemble.

— Il faudrait que j'aie quelque chose à la main, moi aussi. Peut-être qu'on nous a vus de l'extérieur. Ça ne fait rien si on se fait prendre par la police, hein? Ce serait plutôt un soulagement, en fait.

Calder se baisse et s'empare d'un panneau marqué « Attention, plancher glissant », posé par terre à côté de la porte. Il le place dans une pile de journaux universitaires, ôte son blouson et son chandail molletonné, emmitoufle le paquet dans ce dernier et remet son blouson. Il tient maintenant le paquet contre son ventre, comme s'il s'agissait d'un objet fragile.

— C'est convaincant? Attends.

Il met la main à sa poche et sort un pentomino.

— V comme Vraiment. C'est bon, on va la ramener à la maison, dit-il en tapotant gentiment le paquet de Petra du bout de la lettre.

— Absolument, dit Petra avec un sourire.

— Tu es prête?

Ils respirent à fond.

— À vos marques...

— Prêts...

— Partez!

Ils poussent la porte et se jettent en courant dans l'air glacé, tandis qu'un hululement strident se déclenche derrière eux.

CHAPITRE VINGT-TROIS
Au secours!

XXX Petra et Calder détalent vers le jardin et le terrain de jeux situés derrière l'école, se retournant toutes les deux ou trois secondes. Un homme en veste sombre apparaît à l'angle de la 59ᵉ rue, courant dans leur direction.

— Tu vois qui c'est? crie Petra d'une voix cassée.

— Vous êtes de la police? braille Calder.

N'obtenant aucune réponse, ils s'arrêtent quelques instants, hors d'haleine, prêts à tomber dans les bras d'un gardien de sécurité de l'université. La silhouette émerge alors de la pénombre sous la clarté lunaire et les deux fugitifs voient miroiter une paire de lunettes. L'homme fonce droit vers eux, comme si sa vie était en jeu. Il ne porte pas d'uniforme.

— Cours! fait Calder, d'une voix pantelante.

Et ils repartent à toute allure, zigzaguant entre les arbres et les buissons.

— AU SECOURS! AU SECOURS! s'égosille Petra.

Il n'y a personne devant eux. Où sont les promeneurs de chien, les étudiants?

Leur poursuivant gagne du terrain. Ils entendent son halètement. Petra bondit par-dessus le bac à sable et se précipite hors du terrain de jeux. Elle entend un bruit de chute derrière elle et, du coin de l'œil, entrevoit Calder qui vient de trébucher sur le pied de la cage à grimper. Elle s'arrête.

— Vas-y, vas-y! hurle Calder.

Il s'est relevé, mais ne distance plus l'homme que de quelques mètres.

Petra reprend ses jambes à son cou et, tournant la tête, voit maintenant Calder perché en haut de la glissoire, les mains crispées sur son paquet. L'homme s'est arrêté en bas.

— Si vous approchez, je vous préviens, je la crève d'un coup de genou! dit Calder, d'une voix étranglée par la peur. Je vous jure que je le fais. Ça va vous causer pas mal de problèmes.

Petra n'arrive pas à entendre la réponse que grogne l'homme.

— Vous n'oseriez pas me toucher! beugle Calder.

Tout en frémissant de terreur pour son ami, Petra ne peut pas s'empêcher d'éprouver de l'admiration pour sa présence d'esprit et son courage.

La voici maintenant dans la 57e rue. Elle descend la rue à toute vitesse jusqu'au restaurant Medici. Elle tire la lourde porte en bois et s'engouffre dans l'établissement.

Par chance, un policier de l'université s'apprête à sortir au même moment. D'une voix suffoquée, évitant toute allusion au Vermeer pour éviter les questions, elle lui explique qu'un copain à elle est aux prises avec un rôdeur au terrain de jeux. Tous deux se précipitent vers le véhicule du policier, stationné non loin de là. Elle prend place à côté de lui et, quelques instants plus tard, ils s'arrêtent dans un crissement de pneus à l'entrée du terrain de jeux.

Le tournoiement du gyrophare révèle une silhouette

informe affalée à terre. Petra entend le policier pousser un gémissement.

— Reste là, petite, dit-il en ouvrant sa portière.

Petra le laisse sortir, puis, laissant la toile sur le siège, elle descend de la voiture à son tour.

En s'approchant de la glissoire, elle constate que la silhouette n'est que le chandail de Calder, mêlé à des pages chiffonnées de journaux universitaires.

— Super! s'extasie-t-elle en sautillant sur place. Calder a pu s'échapper!

Le policier s'agenouille pour examiner le vêtement.

— On dirait qu'il y a du sang dessus.

Elle s'accroupit à côté de lui et, à sa grande horreur, discerne en effet des taches sombres sur le capuchon.

— Viens, dit le policier. Tu n'as rien à faire ici.

Soudain, il se redresse d'un bond et crie :

— Hé! Arrêtez! Police!

Petra suit son regard et aperçoit leur poursuivant sortant tête baissée de la voiture de patrouille, le précieux paquet sous le bras. Il s'enfuit vers l'est, sur la 58ᵉ rue, cherchant à gagner des cours où il pourra se dissimuler.

— C'est lui! C'est l'homme qui nous a poursuivis! Et maintenant, il a volé la toile!

— Il a volé quoi?

— Vite! Dépêchez-vous!

Le policier, la main à la hanche prête à dégainer, réintègre sa voiture au triple galop et s'empare du micro.

— J'ai un individu soupçonné d'agression qui s'enfuit vers l'est dans la 58ᵉ, avec de la marchandise volée. Je demande une assistance immédiate.

— Dites que c'est le Vermeer! Ça vaut une fortune!

Le policier hésite un instant avant de répondre gentiment à Petra :

— Du calme, petite. Ils vont être là dans quelques secondes.

— Mais c'est vrai, ce que je vous dis. C'est la VÉRITÉ!

Le policier continue de la regarder avec indulgence et secoue la tête.

— Au fait, qu'est-ce que vous faisiez dehors tous les deux à cette heure-ci?

— Vous ne me croiriez pas si je vous le disais, murmure-t-elle. Oh, pourvu que Calder s'en soit tiré!

La voix entrecoupée de sanglots, elle donne l'adresse et le numéro de téléphone de son ami. Non seulement elle a laissé tomber Calder et la dame, mais maintenant, son copain est blessé.

Pendant qu'ils roulent vers le poste de police, elle se décide à tenter une explication auprès du policier.

— Si vous avez jamais cru à quelque chose, commence-t-elle d'une voix tremblante, alors, je vous en prie, croyez-moi.

XXX Calder est introuvable. Sa disparition est officiellement signalée par la police, et ses parents, ainsi que ceux de Petra, se mettent immédiatement à sa recherche dans tout le voisinage. Les Pillay, comme les Andalee, ont reçu un choc en écoutant le récit de Petra. Tout ça est extrêmement intéressant, mais l'heure n'est pas aux explications : il s'agit de retrouver le garçon, dont la disparition est plus qu'inquiétante.

Un voisin se propose de monter la garde chez les Pillay au cas où Calder rentrerait de lui-même. Chez les Andalee, Petra a été priée de rester à la maison avec ses jeunes frères et sœurs, tous endormis. Elle ne s'est pas déshabillée et arpente le salon de long en large en se demandant où a bien pu se réfugier son copain et comment il s'y est pris pour semer cet homme qui courait si vite.

Elle va s'asseoir sur une marche du perron. Et si l'homme a assommé Calder au terrain de jeux avant de traîner son corps quelque part? Elle n'ose pas imaginer la scène. « Sois optimiste, se dit-elle. Il faut que tu sois optimiste.» Calder n'a pas pu se laisser faire aussi facilement.

Elle essaie de se mettre à la place du voleur et se demande où elle cacherait la toile s'il fallait qu'elle déguerpisse du quartier sans se faire remarquer. C'est la seule chose à laquelle elle se sent capable de réfléchir.

Elle visualise mentalement la *Jeune Femme écrivant une lettre*, et revoit le tableau, enveloppé dans le velours, sous son chandail. « Dis-moi où tu es, pense-t-elle. Aide-moi à te récupérer.» Et soudain, comme par miracle, voilà qu'elle a la nette sensation, et même la certitude, que la toile se trouve dans les environs. Le voleur aurait-il déposé la toile sous le perron de quelqu'un? Ou alors dans un bac de récupération ou au cœur d'un buisson touffu? Non, jamais il ne prendrait le risque de l'abîmer. Elle songe à un garage, mais ils sont tous verrouillés, en général. Puis une autre idée lui vient à l'esprit. Elle empoigne une pelle à déneiger dans le vestibule et descend sur le trottoir. Ses frères et sœurs ne vont certainement pas se réveiller, et puis c'est l'affaire de quelques minutes. Elle se promet d'être prudente.

Les Castiglione, à côté, ont construit une cabane dans un arbre. Leurs enfants ont grandi et ne s'en servent pratiquement plus. Petra décide d'aller y jeter un coup d'œil pour voir s'il n'y aurait pas des traces dans la neige fraîche, au pied de l'arbre. Si c'est le cas, elle rentrera aussitôt et préviendra la police.

Elle referme silencieusement la grille du jardin derrière elle. Une voiture de police patrouille lentement à une cinquantaine de mètres et s'éloigne vers l'autre bout de la rue. Silence. La lune est pleine et brillante.

Petra s'avance avec précaution dans la cour des Castiglione, tenant sa pelle à deux mains comme une arme. Soudain, elle voit, dans la neige, des empreintes de bottes qui mènent droit à l'érable, sous lequel la couche de neige est foulée plus qu'ailleurs. Ce sont de grands pieds d'adulte.

Elle se fige, l'oreille aux aguets, et lève les yeux vers la cabane. Si ces traces sont celles du voleur, est-ce qu'il peut être à l'affût là-haut? Voilà bien une heure qu'il s'est emparé de la toile dans la voiture. Pourquoi resterait-il caché, à se geler dans un arbre, attendant qu'on le trouve?

Les traces ne vont que dans un sens, mais Petra sait d'expérience qu'il est possible de descendre de l'arbre en chevauchant une grande branche qui surplombe le talus longeant la voie ferrée. L'homme a très bien pu cacher le tableau là-haut, se dit-elle, et décamper ensuite avant de sauter dans un train ou un autobus.

La cabane en question est une petite structure pourvue d'une fenêtre vitrée. Normalement, la pluie ne pénètre pas dedans; par conséquent l'endroit peut servir de cachette. Petra façonne une boule de neige et la jette contre un côté de l'abri, où elle s'écrase avec un bruit mou. Aucune réaction. Elle recommence plusieurs fois dans l'espoir de voir une tête surgir dans l'ouverture, quitte à s'enfuir aussitôt.

Rien.

— Hé, là-haut! crie-t-elle d'une voix tremblante.

Aucune réponse.

Il faut qu'elle aille voir. Elle pose sa pelle contre le tronc et commence à grimper.

Un échelon, deux, trois, Petra les compte au fur et à mesure et, en arrivant au douzième, elle sent sa gorge se serrer. La voici au niveau de la trappe ménagée dans le plancher. Elle s'arrête, respire à fond et écoute. Douze, douze, douze, semble marteler son cœur.

Pas un bruit là-dedans. Elle pousse doucement l'abattant. Aucune grosse main rougeaude n'apparaît, ni pour l'ouvrir brusquement ni pour le lui claquer au nez.

Elle pousse plus fort et le panneau retombe de l'autre côté

avec un bruit mat. Elle monte encore un barreau et scrute l'intérieur.

— Calder! s'exclame-t-elle.

Il est là, recroquevillé sur le côté, serrant son paquet. Elle s'approche sur les genoux, lui secoue l'épaule, lui prend une main qu'elle tapote et caresse. Il a la peau froide comme la pierre.

— Oh, Calder! Qu'est-ce qui t'est arrivé?

Il cligne des yeux.

— ...m'a fait tomber de la glissoire... mal à la tête... Mais... mais je l'ai suivi...

— D'accord, d'accord, ne te fatigue pas à parler, dit Petra d'une voix apaisante. On est presque tirés d'affaire, la dame, toi et moi.

Elle ôte son manteau et le lui met sur le dos.

Puis elle redescend chercher de l'aide.

— Tu ne devineras jamais, marmonne-t-il.

CHAPITRE VINGT-QUATRE
Les pièces du casse-tête

XXX Le vieux Fred est retrouvé mort dans un train, aux premières heures de la matinée. Crise cardiaque fulgurante. Il porte des chaussures dont les semelles correspondent aux traces dans la cour des Castiglione.

Calder a reconnu sa voix, malgré sa barbe rasée et ses nouvelles lunettes. Le jeune garçon s'est cogné la tête quand Fred l'a fait tomber de la glissoire, après quoi il a fait semblant d'être inanimé. Dès que Fred s'est éclipsé, Calder s'est relevé, titubant, la tête prête à exploser. Pas de Petra en vue. Il ne restait qu'à espérer qu'elle avait trouvé de l'aide avant d'être rattrapée par Fred.

Calder est rentré chez lui le plus vite possible, encore sonné, en passant par les cours. Il reprenait son souffle sous un buisson quand il a vu Fred passer dans la rue, puis monter dans l'arbre des Castiglione avec la toile. Quand il a entendu un craquement de branche et aperçu le voleur sautant sur le talus, il s'est dit qu'il était vraiment temps d'appeler au secours. Mais il fallait d'abord récupérer le tableau. Avec un cellulaire, Fred pouvait envoyer quelqu'un le chercher à tout moment.

Calder a traversé la cour des Castiglione en tâchant de mettre ses pieds dans les empreintes du fuyard pour ne pas laisser de traces lui-même et a résolument escaladé l'érable. C'est au moment où il reprenait le paquet au fond de la cabane qu'il est tombé dans les pommes. Pour de bon, cette fois-ci.

Petra l'a trouvé peu après. Il avait une vilaine commotion cérébrale et Petra lui a sans doute sauvé la vie. Maintenant que vingt-quatre heures ont passé et qu'il a dégusté son gâteau d'anniversaire avec sa meilleure amie, on peut dire qu'il l'a échappé belle. Elle lui a rappelé qu'ils étaient à égalité désormais, car le vieux Fred l'aurait certainement rejointe si Calder ne l'avait pas distrait au terrain de jeux.

XXX Il s'avère que Fred Steadman avait un faux nom et qu'il s'appelait en vérité Xavier Glitts. Il était le chef d'une bande de truands d'envergure internationale. Le FBI a découvert qu'il avait suivi des études supérieures à la Sorbonne, à Paris, ainsi qu'à l'université de Princeton. Au sein de la pègre spécialisée dans le vol d'œuvres d'art, son surnom était « Glitter », qui peut se traduire par « reflet changeant », et, de fait, il avait la réputation de changer facilement d'identité et de disparaître comme par enchantement dans les situations les plus difficiles.

En plus de sa résidence new-yorkaise, il possédait un appartement à Londres et un autre à Rome. Tout le dossier qu'il avait établi au sujet du vol de *Jeune Femme écrivant une lettre* se trouvait dans la chambre forte d'une banque suisse.

Xavier Glitts avait un client collectionneur, lui-même criminel astucieux, qui convoitait le chef-d'œuvre de Vermeer depuis des années et était prêt à le payer soixante millions de dollars, à condition d'avoir la garantie que la police ne pourrait jamais retrouver le voleur.

Glitts avait mis au point un plan qu'il jugeait brillant, consistant à se faire passer pour un malfaiteur idéaliste. Hyde Park lui avait plu, parce qu'il se sentait comme un poisson dans l'eau dans ce quartier universitaire. En tant qu'époux de Zelda Segovia de surcroît, il ne courait aucun risque d'éveiller l'attention.

Peu après leur mariage, ils s'étaient rendus à l'École de l'université pour une soirée de gala organisée au profit d'une œuvre de charité. Ce jour-là, il avait rencontré une jeune enseignante nommée Isabel Hussey, qui devait enseigner à Chicago dès l'automne suivant et qui visitait la ville. Ils avaient causé. Au cours de la conversation, la future enseignante avait fait allusion à une formation qu'elle avait reçue en histoire de l'art et Glitts, prétendant ne rien connaître à Vermeer, l'avait incitée à parler de l'œuvre du peintre. Mme Hussey lui avait involontairement donné tous les arguments qui allaient servir à justifier les prétentions du voleur dans ses différents messages.

Aux archives de l'université de Chicago, Glitts avait gagné la confiance de l'une des bibliothécaires et lui avait raconté qu'il faisait une recherche sur ce qu'il appelait les « cabinets occultes » dans les grandes universités du monde, ajoutant qu'il avait entendu parler de divers locaux ou réduits dont l'existence était tenue secrète, à Oxford, Harvard, McGill et Salamanque. Piquée par la présence de ces curiosités dans des établissements rivaux, la bibliothécaire avait révélé la présence d'une cache oubliée depuis longtemps au Delia Dell Hall, quelque part sous le grand escalier.

Alors qu'il habitait avenue Harper, Glitts avait entendu parler d'une vieille recluse des environs et avait bientôt appris qu'elle était la veuve de Leland Sharpe. Comme Mme Hussey, cette femme était passionnément éprise de l'œuvre de Vermeer. C'était presque trop beau pour être vrai.

Par la suite, Glitts avait rencontré Vincent Watch chez Powell. Il l'avait fait parler, mine de rien selon sa bonne habitude, et Watch lui avait confié qu'il avait une prédilection pour les livres d'art et les énigmes policières, et qu'il espérait bien un jour écrire une fiction sur le monde de l'art qui combinerait ces deux univers. C'était, disait-il, le rêve de sa vie. Glitts avait hoché la tête avec complaisance.

D'après son journal intime, retrouvé par le FBI dans le coffre de la banque suisse, l'idée des trois lettres déposées chez différentes personnes avait pour but de semer la confusion chez les enquêteurs et de créer des suspects. Par la suite, Glitts avait pris beaucoup de plaisir à rédiger les lettres ouvertes publiées par la presse et à observer la réaction du public. Son vol était devenu un événement unique et il passait pour un héros aux yeux de milliers de gens. Son seul regret était que personne ne pourrait jamais s'extasier sur son génie.

Après avoir écrit la lettre dans laquelle il menaçait de brûler la toile et tentait de faire peser les soupçons sur Mme Sharpe en prétendant n'avoir plus que quelques années à vivre, Glitts avait prévu de retirer la toile de sa cachette, de la livrer au collectionneur et d'encaisser ses soixante millions de dollars. Certain qu'aucun musée n'accepterait ses dernières exigences, il comptait ensuite faire croire qu'il avait brûlé le chef-d'œuvre.

Le FBI suppose que la nuit où il est retourné prendre le tableau, la sirène d'alarme de Delia Dell s'est déclenchée au moment où il stationnait sa voiture, et qu'il a surpris Calder et Petra en train de s'enfuir en courant. C'est là que tout a commencé à se gâter pour lui.

XXX Au cours de l'enquête, le FBI a découvert que Mme Sharpe était très fortunée et qu'elle avait fait un don généreux à la National Gallery of Art après le vol. Elle a expliqué, inflexible, qu'elle fuyait toute publicité et souhaitait rester dans l'anonymat, vu les circonstances de la mort de son mari. Elle souhaitait que cet argent serve à payer des réunions et des travaux d'experts sur l'attribution des Vermeer et sur les recherches consécutives au vol. Elle a été surprise, plus tard, de constater que le musée s'était servi de cet argent pour financer l'ouvrage *Le Dilemme Vermeer*, mais elle s'est gardée de protester, compte tenu de ses souhaits initiaux.

XXX Mme Hussey a été consternée d'apprendre de la bouche de Mme Sharpe tout ce que Petra et Calder avaient fait pour lui venir en aide. Peu habituée à vivre dans une grande ville, souffrant du mal du pays, elle s'était sentie bien seule cet automne-là, surtout après le dépôt sur le pas de sa porte d'une lettre des plus étranges. Après le vol, elle s'était rendu compte que ses idées sur Vermeer correspondaient à celles du voleur, ce qui l'avait terrorisée. Et son anxiété n'avait fait qu'augmenter à la lecture de la lettre ouverte dans les journaux. Elle n'avait personne à qui parler dans tout Chicago, personne à l'exception de ses chers élèves de sixième année.

XXX En s'apercevant qu'elle s'était laissée séduire par un voleur professionnel, la pauvre Zelda Segovia a été horrifiée. Elle ignorait tout de la vraie nature de Xavier Glitts et de ses activités clandestines. Lorsque Tommy a découvert le surnom de son beau-père, il a eu cette réaction : « Il aurait mieux fait de se faire appeler Jacasseur. C'est plus drôle et ça lui ressemblait vraiment. Je n'ai jamais vu quelqu'un jacasser autant! Il avait cette façon de vous promettre toutes sortes de choses, qu'il s'arrangeait ensuite pour vous reprendre. Quel hypocrite! »

XXX Frank Andalee s'en voulait à mort d'avoir fait si peur à sa fille dans les couloirs de Delia Dell. Ce n'était pourtant pas sa faute! Ce jour-là, il venait livrer à l'homme aux gros sourcils une vieille gravure provenant de l'un des laboratoires de l'université. L'homme en question travaillait dans une maison de publicité qui préparait une campagne sur l'université. Frank a changé de département cet hiver; il est beaucoup plus heureux à son nouveau poste.

XXX Vincent Watch avait gardé la lettre dans sa poche pendant des semaines, jubilant à l'idée d'avoir été mis dans le secret d'une aventure mystérieuse liée aux beaux-arts. Il n'avait pas voulu prévenir la police avant d'être sûr que le voleur ne communiquerait pas avec lui pour proposer quelque chose d'intéressant qu'il pourrait ensuite utiliser dans son futur livre. Cette lettre constituait un excellent début pour un roman policier se déroulant dans le monde de l'art. Lorsque les identités des deux autres destinataires ont été divulguées, il a décidé de se confier à Mme Sharpe plutôt qu'à Mme Hussey. Il savait que la vieille femme ne parlerait pas et qu'elle saurait le conseiller quant à la nécessité de prévenir la police ou pas.

Après la dernière livraison de Calder à Mme Sharpe, M. Watch était passé la voir en rentrant chez lui. En mettant la main dans sa poche pour lui montrer la lettre, il avait constaté qu'elle n'y était plus. Il n'a jamais compris comment cela avait pu se produire. Sans doute qu'il l'avait mal rempochée après l'avoir lue et qu'elle était tombée par terre, quelque part sur l'avenue Harper. Cette perte l'avait beaucoup contrarié, mais Mme Sharpe s'était montrée compatissante et pragmatique. Ils avaient convenu que ce n'était plus la peine pour lui de signaler la troisième lettre aux autorités, puisqu'il n'avait aucune preuve de son existence. Inutile de passer pour un idiot.

Curieusement, c'était la deuxième fois qu'il l'égarait, cette lettre. Plusieurs semaines auparavant, pour parer à toute éventualité, il en avait fait une copie qui avait disparu entre le magasin de photocopie et la librairie Powell. Il y avait de quoi s'inquiéter.

C'était cette lettre que Petra avait vue s'envoler, mais comme M. Watch n'en avait pas parlé à Mme Sharpe, la jeune fille n'avait jamais su d'où elle venait. Elle a dit à la vieille femme qu'elle avait trouvé la troisième lettre soigneusement dissimulée dans un buisson. Toutes deux ont remarqué qu'il s'agissait d'un enchaînement de faits qui aurait intrigué Charles Fort.

XXX Une fois tous les interrogatoires du FBI achevés, Mme Sharpe invite Calder et Petra à venir prendre le thé dans sa cuisine. Cette fois, les tulipes sont jaunes.

La vieille femme félicite les deux enfants pour leur intelligence et leur courage exceptionnels. De sa part, c'est tout un compliment. Après le thé, Calder énumère tout ce qu'il a trouvé d'intéressant associé au nombre douze d'une façon ou d'une autre. Il raconte que ses pentominos semblent lui délivrer des messages et qu'il est sûr de l'existence d'autres choses en douze exemplaires.

Mme Sharpe l'écoute en silence, les yeux mi-clos, comme le jour de leur visite à l'hôpital quand Petra a parlé de son rêve. Ils lui parlent ensuite de l'illumination de Petra dans l'escalier, quand elle a brusquement percuté sur les mots « moine », « panneau », « vigne », « flûte » et « trouve ».

— Vous aviez proposé ces mots intentionnellement?

— J'aurais bien aimé, mais non, pas du tout, répond la

vieille femme avec un sourire pensif.

Elle les remercie d'avoir partagé leurs fabuleux secrets avec elle et promet de n'en jamais rien révéler à quiconque sans leur permission. Calder et Petra sentent qu'ils peuvent lui faire confiance.

Là-dessus, elle déclare vouloir leur confier à son tour un secret et leur demande de le garder pour eux jusqu'à sa mort. Les deux enfants acceptent aussitôt et Petra tapote affectueusement la main décharnée de Mme Sharpe.

La vieille femme leur raconte alors un épisode de son passé dont ils avaient déjà partiellement connaissance. Juste avant d'être assassiné, son mari, Leland, lui avait écrit une lettre l'informant qu'il avait fait une découverte sensationnelle sur les peintures de Vermeer, quelque chose qui allait révolutionner le monde de l'histoire de l'art. Il était impatient de lui dire de quoi il s'agissait, mais tenait à garder le secret jusqu'à ce qu'il soit rentré à la maison à Hyde Park, « sain et sauf », précisait-il. Et puis le jour où il devait prendre son avion pour Chicago, on avait retrouvé son corps devant le Rijksmuseum, à Amsterdam. Il s'était fait assommer en pleine rue. Son agenda était dans sa valise, laquelle se trouvait dans le hall de son hôtel. Lorsque Mme Sharpe l'avait consulté quelques semaines plus tard, elle avait remarqué le nombre 1212 gribouillé rapidement sur la page correspondant au jour de sa mort. C'était indiscutablement son écriture. Elle s'était empressée de le signaler à la police, mais personne ne savait quoi faire de ce nombre qui pouvait s'interpréter de plusieurs façons : était-ce midi douze, minuit douze ou mille deux cent douze? Elle non plus n'en avait pas la moindre idée. La police n'avait arrêté personne, et le mystère était resté entier, avant de s'estomper avec le temps.

Après avoir relaté cette douloureuse histoire aux enfants, Mme Sharpe reste songeuse un moment, les yeux fixés sur la table. Puis elle cligne des yeux rapidement, se redresse, se mouche et poursuit, de ce ton énergique et un peu sec auquel ils sont maintenant habitués :

— J'étais résolue à reprendre les recherches de Leland là où il les avait arrêtées, mais je n'ai jamais réussi à trouver ce qu'il avait découvert ou mis au jour. Au cours des années qui ont suivi, j'ai étudié à fond l'œuvre de Vermeer. Je me suis juré d'apporter mon soutien financier à toute nouvelle enquête concernant sa vie et ses toiles. Et puis, l'automne dernier, quelque chose de très curieux a commencé à se manifester en moi. C'est cela que je vous demande de garder secret.

Mme Sharpe déclare que la femme représentée sur le tableau volé l'a « priée » de laver un outrage fait au nom de Vermeer : un certain nombre de tableaux lui sont attribués à tort, et l'apparition demandait que les rectifications nécessaires soient faites, afin qu'on sache, dans le monde entier, que ces œuvres sont dues à des successeurs. Mme Sharpe ajoute qu'elle a reçu ainsi mentalement des messages très longs, qu'elle s'est contentée de noter au fur et à mesure. Il y en a des pages et des pages. Calder et Petra échangent un regard pendant que la vieille femme se lève pour prendre une feuille de papier sur une pile posée à côté de son ordinateur. Elle revient à la table de la cuisine et lit :

Mon image sous forme de pigments sur la toile est trompeuse. En vérité, je suis vivante. On peut mettre cela sur le compte de l'imagination, mais il n'en est rien. L'art, comme vous savez, se nourrit d'idées. Je suis aussi réelle que votre porcelaine bleue, que le garçon avec sa boîte ou la fille qui a rêvé de moi. Je suis bel et bien présente parmi vous.

La gravité qui se peint sur le visage des enfants incite Mme Sharpe à interrompre sa lecture. Il faut les rassurer.

— Je vous raconte tout cela juste pour que vous compreniez ce que j'entrevois : quelque chose qui nous dépasse et nous surpasse de beaucoup nous a manipulés, si je puis dire, nous a fait agir tous ensemble. Xavier Glitts avait beau croire qu'il menait le jeu, il n'était qu'une pièce du casse-tête, si vous me passez l'expression. Cette chose ou cette volonté, comme vous voulez, s'est manifestée en nous transmettant à chacun, y compris au voleur, ce que nous souhaitions voir et entendre.

Un sourire à peine visible se dessine sur les lèvres de Mme Sharpe, qui se penche par-dessus la table pour redresser une tulipe. Les pétales se parent d'un éclat mordoré sous la lumière oblique de cet après-midi d'hiver. Soudain, Petra se souvient d'avoir ramassé une feuille morte sur l'avenue Harper l'automne dernier et d'avoir été frappée par la sensation de surprise créée par la couleur jaune.

XXX Comme il fallait s'y attendre, Calder a découvert d'autres occurrences du nombre douze. Il a commencé par en faire une liste :

Petra Andalee
Frank Andalee
Norma Andalee
Calder Pillay
Walter Pillay
Yvette Pillay
Isabel Hussey
Louise Sharpe
Tommy Segovia
Zelda Segovia
Vincent Watch
Xavier Glitts (également connu sous ie nom de Fred Steadman)

Douze identités de douze lettres chacune en comptant le prénom et le nom de famille. Les joues de Mme Sharpe rosissent de contentement lorsque Calder lui présente sa liste.

— Oui, c'est curieux, dit-elle d'une voix pensive après quelques instants de réflexion. Le nombre 1212 peut se lire aussi « douze et douze », et ces trois mots comportent douze lettres en tout. D'autre part, le titre anglais du tableau, *A Lady Writing*, comporte également douze lettres.

Elle rappelle ensuite à Calder et Petra que Charles Fort ne croyait pas aux coïncidences. Il estimait qu'il y a souvent des liens entre les choses qu'on ne peut pas expliquer en termes scientifiques. Mais s'il n'y a aucune coïncidence dans cet enchaînement de faits, comment les interpréter?

Calder et Petra sont bouleversés par toutes ces concordances et se félicitent d'avoir Mme Sharpe comme interlocutrice pour en parler. Ils trouvent vraiment extraordinaire qu'elle ait dit la même chose que Picasso sur l'art, la vérité et le mensonge, dans son lit d'hôpital. Peut-être les plus grandes idées sont-elles les plus simples à exprimer? Ou peut-être certaines expériences vécues sont-elles destinées à s'emboîter, comme des pentominos? Il se pourrait, après tout, que le temps ne compte pas, que les siècles se confondent, lorsque des vérités essentielles sont en jeu.

À partir du moment où douze noms sont concernés, chacun d'eux constituant une pièce d'un casse-tête immense, ces douze noms peuvent-ils être reliés d'autres façons? Mme Sharpe et les deux enfants découvrent bien des choses étonnantes en vidant d'innombrables théières dans la cuisine.

Une des plus frappantes est que la première lettre du prénom de chaque personne figurant sur la liste de Calder est un pentomino.

— Le U correspond en fait à mon C, explique-t-il. Il suffit de le renverser sur le côté d'une chiquenaude. Je n'ai jamais aimé la forme du U, n'importe comment.

Calder s'aperçoit ensuite que si l'on considère ces douze personnes comme des pièces de pentomino, on constate que certaines s'emboîtent plus facilement que d'autres pour former des rectangles. Le X, par exemple, est la pièce la plus difficile à utiliser, tandis qu'avec le U (ou C) et le P, on obtient sans peine plusieurs solutions. Le L (Louise) s'ajuste aisément au I (Isabel), le W (Walter) à l'Y (Yvette), ainsi que le F (Frank) au N (Norma)... Calder retourne toutes ces figures dans sa tête à s'en donner la migraine. C'est alors que lui et Petra se remémorent ce que Mme Hussey avait écrit au tableau au début de l'année scolaire : « La lettre est morte. » Eh bien, se disent-ils, il y en a une qui l'est véritablement : le X.

Bien que Leland Sharpe ne soit pas sur la liste, Calder ne peut s'empêcher de remarquer que la première lettre de son prénom commence par la douzième lettre de l'alphabet.

— Et c'est une des lettres qui s'adaptent le mieux pour faire un rectangle, ajoute Petra.

— Oui, justement il avait le don de s'adapter à toutes les situations nouvelles, commente Mme Sharpe avec un petit reniflement satisfait. Il adorait les casse-tête et les codes. Il aurait beaucoup aimé les pentominos, vous savez.

Il s'avère par ailleurs qu'Isabel Hussey et Louise Sharpe descendent toutes les deux d'un ancêtre commun appartenant à la lignée des Coffin, originaire de Nantucket. Les deux femmes ont vécu sur l'île. C'est d'ailleurs de cela que parlait la veuve dans sa lettre à la jeune enseignante.

Le mystère une fois éclairci, Mme Hussey et Mme Sharpe ont eu plaisir à se retrouver pour souper au restaurant dans le quartier de Hyde Park, un plaisir qu'elles ont souvent renouvelé depuis. Les deux femmes, qui avaient beaucoup de choses à se dire, sont liées par une communion de pensée sur bien des sujets.

Au cours des derniers mois de l'année scolaire, Mme Hussey est devenue plus qu'une enseignante pour les deux enfants : une véritable amie. En sortant de l'école, ils vont souvent se régaler tous les trois d'un chocolat chaud à la salle Fargo.

Petra a montré à l'enseignante son exemplaire de *Lo!* Par la suite, toute la classe s'est essayée à compléter l'inventaire de Charles Fort, avant de réfléchir à la notion de coïncidence. Ne refléterait-t-elle pas, comme le croient de nombreux scientifiques, l'irrésistible fascination de l'homme pour les schémas combinatoires de toutes sortes? Ou bien y a-t-il autre chose?

Un élément qui n'est pas passé inaperçu non plus, c'est l'âge exact des parents des deux enfants. Tous les quatre ont quarante-trois ans. Ils avaient douze ans l'année de la mort de Leland Sharpe, trente et un ans auparavant. Mme Sharpe et ses deux jeunes amis se sont aussi demandé si la date de publication de *Lo!*, 1931, pouvait entrer en ligne de compte. Enfin, ils se sont rendu compte, non sans un frisson dans le dos, que Vermeer était décédé à l'âge de quarante-trois ans.

Le père de Petra a divulgué à sa fille un autre fait surprenant : une partie de sa famille a vécu pendant des siècles aux Pays-Bas, à proximité de Delft. Les archives familiales sont incomplètes, mais il est très possible que Petra soit apparentée à un membre de la famille de Vermeer. À la suite de cette révélation, Petra a flotté sur un nuage pendant plusieurs jours.

Au cours de ses recherches, Calder a découvert que Johannes Vermeer était mort brusquement de maladie en décembre 1675. Inhumé le 16 du même mois à Oude Kerk, une église de Delft, et mort vraisemblablement quelques jours plus tôt, il a fort bien pu vivre la dernière journée de son existence le 12 décembre, date de l'anniversaire des enfants et dernier jour de la vie terrestre de Xavier Glitts.

Reste Frog. En se remémorant la phrase de Fort : « Parlez-moi, grenouille, je vous dirai qui vous êtes », Petra a fait remarquer à Calder qu'il y avait sans doute là encore un indice. Peut-être qu'en approfondissant les états d'âme du garçon dans leurs discussions à son sujet, ils auraient pu démasquer Glitter.

Les étiquettes murales de plusieurs Vermeer exposés dans divers musées ont été discrètement modifiées dans les semaines qui ont suivi le retour de la toile à la National Gallery of Art. « Attribué à Johannes Vermeer », peut-on lire à présent. Calder et Petra ont fêté l'événement autour d'un thé somptueux à l'hôtel Drake, en compagnie de Mme Sharpe. Celle-ci leur a appris à cette occasion qu'ils allaient bientôt recevoir quelque chose chez eux. Elle offre à Calder un globe terrestre ancien et un tapis d'Orient authentique, semblable à celui du *Géographe*. À Petra, elle fait cadeau de son secrétaire, superbe meuble du XVIIe siècle, ainsi que d'un rang de vraies perles néerlandaises.

Dans les interviews qu'ils ont accordées à la presse, les deux enfants n'ont pas dévoilé toute l'histoire. Ils n'ont jamais fait allusion aux rêves de Petra, aux énigmes résolues par Calder, à Charles Fort, aux séries de douze ni aux p'tits bleus. Ils n'étaient pas sûrs que le monde serait prêt à entendre tout cela. Et pas tout à fait sûrs non plus de ce qui était réel et de ce qui ne l'était pas.

TABLE DES MATIÈRES

À propos des pentominos et des illustrations . . . 6

CHAPITRE UN
Trois lettres 9

CHAPITRE DEUX
La lettre est morte 13

CHAPITRE TROIS
Perdus dans l'art 23

CHAPITRE QUATRE
Le mensonge de Picasso 37

CHAPITRE CINQ
Vers de terre, serpents et bigorneaux 44

CHAPITRE SIX
Le coffret du géographe 51

CHAPITRE SEPT
L'homme sur le mur 60

CHAPITRE HUIT
Une surprise pour l'Halloween 73

CHAPITRE NEUF
Les p'tits bleus 78

CHAPITRE DIX
Au cœur du casse-tête 87

CHAPITRE ONZE
Cauchemar 95

CHAPITRE DOUZE
Un thé à quatre heures 105

CHAPITRE TREIZE
À bas les experts! 118

CHAPITRE QUATORZE
Interrupteur 124

CHAPITRE QUINZE
Meurtre et chocolat chaud 132

CHAPITRE SEIZE
Matinée dans l'obscurité 141

CHAPITRE DIX-SEPT
Que faire? 152

CHAPITRE DIX-HUIT
Une mauvaise chute 159

CHAPITRE DIX-NEUF
Illumination dans l'escalier 172

CHAPITRE VINGT
Un fou 181

CHAPITRE VINGT ET UN
Voir et regarder 181

CHAPITRE VINGT-DEUX
Des douze à la douzaine 196

CHAPITRE VINGT-TROIS
Au secours! 207

CHAPITRE VINGT-QUATRE
Les pièces du casse-tête 216

REMERCIEMENTS

XXX Je voudrais remercier les centaines d'enfants des Laboratory Schools de l'université de Chicago, avec qui j'ai eu la chance de travailler et qui m'ont tant aidée dans mes réflexions et ma façon d'observer. Merci aussi à Lucinda Lee Katz, à Beverly Biggs et à mes collègues de cette institution, grâce à qui j'ai pu à la fois enseigner et écrire. L'attribution du Mary Williams Award fut une grande surprise et un soutien appréciable. Un grand merci à celui qui m'a initiée à l'univers merveilleux des pentominos et de la pédagogie constructiviste, mon mentor et ami Bob Strang.

XXX Sur Vermeer, son œuvre et le nombre exact de peintures qu'on lui doit, les opinions varient. Pour écrire ce livre, je me suis basée sur les recherches d'Arthur K. Wheelock Jr, conservateur du fonds d'art baroque d'Europe du Nord à la National Gallery of Art de Washington et auteur de plusieurs ouvrages fascinants sur Vermeer. Je lui suis extrêmement reconnaissante d'avoir bien voulu répondre à mes nombreuses questions et de m'avoir éclairée sur la puissance musculaire des enfants de onze ans.

XXX Will Balliett, Betsy Platt, Lucy Bixby, Anne Troutman et Barbara Engel ont pris le temps de regarder les premiers jets et de suggérer quelques idées, tandis que Nancy et Whitney Balliett m'ont assistée constamment pendant le travail de rédaction; qu'ils soient tous chaleureusement remerciés. Mon agente, Amanda Lewis, a su me guider habilement à travers maintes aventures. Trois bravos à mon éditrice Tracy Mack, dont la sagesse, l'imagination et la conviction m'ont maintenue sur la bonne voie. Remerciements à Leslie Budnick, éditrice associée, pour son aide et sa constante disponibilité.

XXX Je tiens enfin à remercier mon formidable mari, Bill Klein, qui m'a aidée de mille façons. Ce livre n'existerait pas sans lui.